W9-BBK-366

匆匆，太匆匆

全集自序

從我出版第一部小說『窗外』到今天，已經足足過去了二十六年。有時，眞不相信，四分之一個世紀，就在我的塗塗寫寫中悄然而逝。這二十六年，不管我生命中有多少風風雨雨，多少喜怒哀樂，我的『寫作』，却一直是我生命中的一條主線。在我沮喪時，我會逃遁到寫作裡去，當我歡樂時，我會表現到寫作裡去，當我寂寞時，我用寫作塡補空虛，當我充實時，我又迫不及待要拾起筆來，寫出我的感覺……因而，這漫長的二十六年，我雖然偶爾會蟄伏、會休息，却從不曾眞正停止過寫作。就這樣，細細數來，從『窗外』開始，到『我的故事』爲止，二十六年來，我已出版了四十四本書。

去年年初，因爲開放大陸探親，我有幸在離鄉三十九年後，首次回大陸。到了北京，發現我的四十幾部作品，被出版得亂七八糟。當時，就有一種强烈的願望，要好好整理一下這些作品。返台後，又因爲有好幾部作品需要再版，我和鑫濤，就決定藉再版之便，重新整理我的作品，改換版本形式，統一編排，出版這套『瓊瑤全集』。

因爲時代已經不同，出版品也隨著時代進步，現在的紙張、字體、編輯、版本形式……都遠勝以往。再加上，我過去的作品，有的書太薄（如『月滿西樓』），有的書太厚（如『幸運草』）。有的排版太密，有的又排得太鬆，有的字體太小，有的又太大。這一次，我們把所有的缺失更正，做完全的調整。作品內容，也有更改，例如，『六個夢』一書中，居然有七個故事，這是件挺荒謬的事，如今，抽出一個故事，還原成『六個夢』。又例如，『月滿西樓』只是一部中篇，勉强成書，總覺份量不夠，現在，加入另外幾部中篇，重新結集。

在我這所有的作品中，最特別的是『不曾失落的日子』。這部書嚴格說來，是一部我自己『殘缺的自傳』，有『童年』部份，缺掉了成長以後的過程。今年春天，我將此書重新寫過，把我成長以後的部份補齊，改名爲『我的故事』。這部書，在我的全集中取代了『不曾失落的日子』。因而，四十四部書，經過整理後，變成四十三部。至於『不曾失落的日子』中的散文部份，以後，可能會滙集我的其他散文，出版一部散文專輯。

當然，重新編撰一套全集，是件工程浩大的事，以往的書中，錯字別字漏字都很多，借此機會，全部修正。這樣浩大的工程，不是一朝一夕就能完成。但，我們總算開始了這件工作。在重選封面，重選字體，重選版本形式……的時候，我雖忙碌，却也興奮。過去的作品，不管好不好，都是我生命中最重要的一部份。重新編撰，重新出版，也算我的一種『重生』吧！

從來不曾覺得自己的作品寫得好，也從來不曾自滿過。每次出書，都戰戰兢兢，如履薄冰。生怕自己的作品禁不起讀者的考驗，和時間的考驗。現在，在『全集』出版前夕，這種情懷，仍然强烈。總覺得自己渺小平凡，寫出的每部書，也都是一些渺小平凡的故事。儘管書中常有『轟轟烈烈』的感情，那也只是『平凡人』的感情。

且讓我把這套『瓊瑤全集』，獻給全天下平凡的，和不平凡的朋友們！

瓊瑤寫於一九八九年七月三十一日
於台北可園

楔子

七月，一向不是我寫作的季節，何況，今年我的情緒特別低落。某種倦怠感從冬季就尾隨着我，把我緊緊纏繞，細細包裹，使我陷在一份近乎無助的慵懶裏，什麼事都不想做，什麼事都提不起勁來，尤其對於寫作。

寫作是那麼孤獨，又那麼需要耐心和熱情的工作。這些年來，我常覺得寫作快要變成我的『負擔』了。我怕不能突破自己以往的作品，我怕不能引起讀者的共鳴，我怕失去了熱情，我更怕——亙古以來，人們重複着同樣的故事，於是，我也避免不了重複又重複——寫人生的愛、恨、生、死，與無可奈何。我的好友三毛曾對我說過一句話：

『如果我們能擺脫寫作，我想我們就眞正解脫了！』

或者，只有寫作的人才能瞭解這句話。才能瞭解寫作本身帶來的痛楚，你必須跟着劇中人的感情深入又深入的陷進去，你必須共擔他們的苦與樂，你必須在寫作當時，作最完整的奉獻，那段時間中，作者本身，完全沒有自我。所以，最近我常常在失眠的長夜裏，思索這漫長的寫作生涯中，我是否已經奉獻得太多了？包括那些青春的日子，包括那些該歡笑的歲月，包括那些陽光閃耀在窗外，細雨輕敲着窗櫺，或月光洒遍了大地的時候。我在最近一本小說『昨夜之燈』中寫了一段：

『全世界有多少燈？百盞，千盞，萬盞，萬萬盞……你相信嗎？每盞燈下有它自己的故事？』

是的，每盞燈下有它自己的故事。其中一盞燈光下，有『我』這麼『一個人』，『孤獨』的把這些故事，不厭其煩的寫下來，寫下來，寫下來……

於是，我會問『爲什麼？』於是，我會說『我累了。』我從不認爲自己的寫作是多麼有意義的工作，我也從不覺得自己有『使命感』。當初，吸引我去寫作的是一股無法抗拒的狂熱，其強烈的程度簡直難以描述。而今，歲月悠悠，狂熱漸消。於是，我累了，眞的累了。

今年，我就在這份倦怠感中浮沉着，幾乎是憂鬱而徬徨的。我一再向家人宣佈，我要放棄寫作了。又隱隱感到莫名的傷痛，好像『寫作』和我的『自我』已經混爲一體，眞要分開，是太難太難太難了。又好像，我早已失去『自我』了。在那些狂熱的歲月裏，我就把『自我』奉獻給了『寫作』，如今，再想找回『自我』，驀然回首，才發現茫茫世界，竟然無處有『我』。

這種情緒很難說淸楚，也很難表達淸楚，總之，今年的我頗爲消沉，頗爲寥落，而且，自己對這份消沉和寥落完全無可奈何。最可怕的，是沒有人能幫助我。

七月，天氣很熱。

七月，我正『沉在河流的底層』。『沉在河流的底層』是俄國作家『屠格涅夫』的句子，第一次讀到它的時候我才十幾歲，懵懂中只覺得它好美好有味道，却不太明白它到底是什麼意思。其後，在我的作品中，我不厭其煩的引用這個句子，說來慚愧，依然不太明白它的意思。現在，我又引用它，更加慚愧！我還是不太懂。我給了它一個解釋，河流是流動的，『沉在河流的底層』，表示『動的是水，靜的是我，去的是水，留的是我，匆匆而過的是水，悠悠沉睡的是我。』

不管這解釋對不對，我的心情確實如此。

就在今年這樣一個七月的日子裏，有封來自屏東萬巒鄉的短短小箋，不被重視的落到我眼前，上面簡單的寫着：

『瓊瑤女士：您好！

在以前妳不認識我，希望以後妳能認識我，很奇怪，是嗎？

這裡有一個故事；我一直想寫但寫不出來，一個我的故事，我和『鮀鮀』的故事。『鮀鮀』是她的乳名，一個發音而已，湖北話。她今年二十四歲，我二十六歲。

她和我在民國六十六年（一九七七）十月二十四日晚上八點十分在同學的舞會中認識，這其中發生了許多許多感人的事。

她那兒有我完整的資料：信、素描、字畫、各類的東西。

我這兒有她的照片，我的三本日記，信有五百封左右。

一切資料均有，但我寫不出任何一個字。

請幫我一個忙好嗎？幫我寫出這個故事。　此祈

愉快

韓青敬上

又及：她本名袁嘉珮，我叫她「䏲䏲」。輔大。我本名就叫韓青，文大。

請聯絡：我家電話（〇八七）八八八×××。』

這封信沒有帶給我任何震盪，因爲信裏實在沒寫出什麼來。而這類信件，我也收到得太多了。我把信擱置在一旁，幾乎忘記了它。

幾天後，我收拾我那零亂的書桌，又看到了這封信，再讀一遍，我順手把它夾在『問斜陽』的劇本裏。

再過幾天，我看劇本，它從劇本中落了出來。

怎麼？『它』似乎不肯讓我忽略它呢！

我第三次讀信。讀完了，看看手錶，已經是半夜了。屏東萬巒鄉，很陌生的地方，不知道那位『韓青』已入睡否？或者，我該聽聽他的故事，即使我正『沈在河流的底層』，不想寫任何東西，聽一聽總沒有害處。而且，某種直覺告訴我，寫信的人在等回音，寫信的人急於傾吐，寫信的人正痛苦着——他需要一個聽衆。

於是，我撥了那個電話號碼，感謝電信局讓台灣各地的電話可以直接撥號，而且沒有在每三分鐘就插嘟嘟聲，來打斷通話者的情緒。我接通了韓青，談了將近一小時。然後，我在電話中告訴他：

『把你的日記、信件、資料統統寄給我，可是，我並不保證你，我會寫這個故事，假若你認爲我看了就一定該寫，那麼，就不要寄來！』

『我完全瞭解，』他說，很堅定。『我會把資料和一切寄給妳。』

三天後，當郵局送來好幾大紙盒的信件和日記時，我簡直呆住了。天知道，我每日忙忙碌碌，還有多少待辦要辦和辦不完的事，我如何來看這麼多東西？但，在我收到這些東西時，我忽然想起了喬書培（另一個寄資料給我的人，我後來把他的故事寫成了『彩霞滿天』）。於是，我安安靜靜的坐了下來，安安靜靜的打開紙盒，安安靜靜的拿起第一本日記……

有張照片從日記本裏落出來了，我拾起照片，一男一女的合照，照片裏是個笑得傻傻的大男孩子，一個長髮中分的大女孩子，男的濃眉大眼，是個挺漂亮的男生，女的明眸皓齒，笑得露出兩排白牙，亮亮的，清清純純的樣兒。我放下照片，打開日記，扉頁上寫着：

『我墮落於五百里深淵，
而鴕鴕，妳使我雀躍。』

我開始看日記，開始看信件，由於信件太多，我只能抽閱。韓青必然是個很細心的男孩，每封信上都有編號，鮀鮀必然是個很細心的女孩，每封信裏都有確切的寫信時間：某年、某月、某日、某時。（奇怪吧，韓青寄來的資料裏竟有雙方的信。）

幾天之後，我仍然沒有看完這些資料，但，憑我的判斷，這故事並不見得驚天動地，或曲折離奇。可是，它讓我感動了，深深的感動了。不止感動，而且震動。感動在那點點滴滴的眞實裏，感動在那零零碎碎的小事上，而震動在那出人意料，令人難以置信的『結局』中。等不及看完這些信，我再打電話給韓青：

『你可不可能到一趟台北？當面把你們的故事說給我聽？』我問，不忘記再補一句：『可是，我不一定會寫。』

『可能，太可能了！』他急切的說，幾乎立刻就作了決定。『八月一日是星期天，我不上班，我可以乘飛機來台北，不過，妳要給我比較長的時間。』

『好，整個下午！』我說，『你下午兩點鐘來，我給你整個下午的時間。』

約好了時間，我在八月一日未來臨前，再斷斷續續的看了一些資料。心裏已模糊勾出了他們這故事的輪廓。到七月三十一日晚上，我剛吃完晚餐，却突然意外的接到韓青的電話，他劈頭就是一句：

『我能不能跟妳改一個談話時間？』

『噢！』我有些猶豫：『我想想看，下星期……』

『不不！』他急促的打斷我。『現在，如何？』

『現在？』我嚇了一跳。『你已經來台北了嗎？』

『是，剛剛到。』

『哦。』我再度被他的迫切感動了，雖然，那天晚上我原準備去做另外一件事的。『好，你來吧！』

七月三十一日晚間八時半，韓青來了。

在可園，我的小書房裏面，我們面對面的坐了下來。

韓青，中等身材，不高不矮，背脊挺直，眉目清秀，有股與生俱來的自信和自負相。穿着白襯衫，藍色長褲，打着領帶，服裝整齊。頭髮蓬蓬鬆鬆的，眼睛大大亮亮的，眉毛濃濃密密的，嘴唇厚厚嘟嘟的。他坐在那兒，有些緊張，不，是相當緊張。一時間，他似乎手脚都沒地方放，他解開袖口，雖然房裏開着冷氣，他却一個勁兒的挽袖子，掏手帕，弄領帶……。

我把烟灰缸推給他。

『從你的日記裏，我知道你抽煙，』我說，鼓勵的笑，想緩和他的緊張。『可是，我忘了給你準備香煙。』

『我有！』

他拿出一包長壽，又找打火機。

點燃了一支烟，烟霧裊裊上昇，慢慢擴散，他靠進椅子裏。我抽出一疊稿紙，在上面寫下：

『一九八二、七、三十一，韓青的故事摘要。』

然後，故事開始了，時間要倒回到一九七七年十月二十四日晚上八時。

1

舞會是徐業平爲方克梅開的，爲了慶祝方克梅滿二十歲的生日。

韓青原來並不準備參加這舞會的，只因爲這一向他都比較落寞。自從離開屏東家鄉，考進文化大學，轉眼間，大一、大二都從指縫間流逝。被羨慕、被稱道、被重視的大學生活，並沒有給韓青留下任何值得驕傲的事蹟，更談不上絲毫的成就感。所學非所願，唸了一大堆書，選了一大堆課程，只感到乏味。文化大學眞正吸引他的，不是那些課程，反而是華岡的雲、華岡的樹、華岡天主教堂後的小徑、華岡到陳氏墓園去的那片蘆葦地，以及被他和徐業平、方克梅、吳天威等取名叫『世外桃源』的小山谷。

沒考上大學以前，自己曾經拚了命擠這道窄門，在南部讀完高中，第一次考大學就失敗了。於是，他拎了一個手提袋，帶了幾件換洗衣服，身上有去打工賺來的一千六百元新台幣，告別父母，就到台北來『打天下』了。火車進了台北站，跟着人潮下車，跟着人潮走出台北車站。茫茫然尚不知該往何方駐足，抬頭一看，就見到火車站對面『建國補習班』的大招牌，供應食宿，包你考中大學！算算鈔票，正好傾囊所有。明天的事明天再管。於是，直接過馬路，從車站大門就走進了補習班大門。

苦讀一年，家裏每月寄給他一千元零用，實在不夠做什麼。每星期最奢侈的事，是去小美吃他一大碗紅豆麥芽刨冰。不過，第二次考試，終於考上了。取進文化大學『勞工關係系』，塡志願表時不知道它是什麼，塡上再說。進了大學不知道它是什麼，唸了再說！兩年下來，每天和會計、統計、經濟、民法概要、憲法、現代工商管理……等打交道，頭有斗大，興致低沉。從小，總覺得自己有那麼點文學、藝術和音樂的細胞，却在大學的課程裏磨蝕殆盡。於是，交女朋友吧！進大學的最大好處，你可以放膽追女孩子，沒有人會指責你『還太小』。

大一、大二，兩年時光，捲進他生活裏的女孩實在不少。這與徐業平有很大關係。徐業平，原來考進文大俄文系，唸了一年，沒有俄文教授聽得懂他的俄文，一氣就轉系，轉進了全台灣僅有的這一系——勞工關係系。於是，韓青認識了徐業平。兩人曾一塊兒讀書，一塊兒罵教授，一塊兒追女孩子。可是，當徐業平和輔大英文系的方克梅已進入情況之後，韓青的心仍然在游蕩着，這期間，以他那半成熟的年輕的胸懷，以他那稍稍自許的文學才華，以他那青春的飄浮的感情，以他對異性的半驚半喜半憂半懼的情懷，他曾在日記上片片斷斷的寫下一些『詩句』：

翩翩的越過這道成長的虛線
填滿了間斷的虛點——充實
那圓弧永遠是缺口的　　因
你未走完那一世紀一周匝
把句點塗滿只得到一個讀號
什麼意義也沒有　　祇有
瞪着兩眼看浮雲天狗

大二那年，認識了一個女孩，綽號叫寶貝，確實讓他困擾過好一陣子，也爲她寫下了斷簡殘篇：

懷着寂靜的心
　踏入那夢織的溫柔
星星雖不再閃爍　猶
留下妳的倩影

以及

翦燭西窗
數着碎落的夢
她是風
　她是雨
她是雷

風吹落夢想
雨打碎感思
雷敲醒一個獨自翦燭西窗的
過旅

這就是他的大一和大二，那些『不識少年愁滋味，爲賦新詞强說愁』的日子。寶貝，一個女孩，一個是星星，是風，是雨，是雷……最後，却化爲一縷輕烟，從他生命裏不留什麼痕跡，輕輕輕輕飄過的女孩。可是，大三的上學期，在方克梅過生日前的那段日子中，他還在憑弔着這份虛虛渺渺的、不成型的感情，還陷在他自己給自己織成的一個網裏。寶貝已成過去。而他，還那麼不習慣什麼叫『過去』。他有點憂愁，就爲了想憂愁而憂愁，有點失意，就爲了想失意而失意。並不眞的爲了寶貝，不眞的爲了那些曾點綴過他生命的任何女孩。只爲了——年輕。

話說回頭，那天是方克梅的生日。

方克梅和徐業平是去坪林吃烤肉時認識的。徐業平什麼都優秀，除了唸書以外。他會彈吉他，會唱歌，會跳舞，會打橋牌，會說笑話，會追女孩子。方克梅唸輔仁大學夜間部，英語系。

是那種任何人一見就會喜歡的女孩，活潑、大方，圓圓的臉龐，亮晶晶的眼睛，一六五的標準身材。由於家境富有，嬌生慣養下，她皮膚白嫩細膩，光潔雅致。最可貴的，她彈一手好鋼琴，還能把流行歌曲及任何古典小曲，用搖滾或爵士的方法彈奏出來。往往，方克梅的鋼琴，徐業平的吉他，韓青和吳天威的歌——他們會唱活了天地，唱活了青春。

事情的開始是這樣的。方克梅和徐業平戀愛了。愛得一塌糊塗，愛得天翻地覆，愛得死去活來。在他們自己的幸福中，他們也關懷着身邊的兩個好友，吳天威沒什麼關係，吳天威比較成熟穩重有城府，在女孩間打打游擊就滿意了。韓青却不同了，他是那麼孤傲，那麼自負，又有顆那麼熱情的心。當徐業平給方克梅籌備舞會時，韓青就宣稱了：

『我沒有舞伴，我不來！』

『什麼話？』徐業平叫着說：『你不來咱們就絕交！不給我面子沒關係，不給方克梅面子……。』

『別吵，別吵！』方克梅笑吟吟的看着韓青，咬着嘴唇沉思了好久好久。忽然說：『韓青，我們班上有個女同學，跟你很相配。也很文學、很熱情、很……』她形容不出來，用一句話下了總結：『很有味道就對了。我把她介紹給你當舞伴，那麼，你就有舞伴了，怎麼樣？』

『很好，』韓青同意。『她長得如何？別弄個母夜叉來整我冤枉……』

『唉唉唉！』方克梅連聲嘆氣。『眞是狗咬呂洞賓，不想認識就算了！』

『想想想！』韓青也連聲回答，對於別人開舞會，自己去勞什子『西窗』翦什麼燭的情形實在有些害怕。『她叫什麼名字？』

『袁嘉珮。』方克梅輕鬆的說了出來，絕沒有想到，這個名字後來竟改變了韓青整個的世界。

『這樣吧，』她想了想。『你寫張條子給她，表示想認識她，我轉交給她比較好說話。袁嘉珮不是那種隨隨便便可以約出來的女孩子！』

『我寫條子給她？我又不認識她，怎麼寫？』韓青瞪着方克梅，心裏還在懷疑，這方克梅是不是在設什麼陷阱，來開他的玩笑。他轉向徐業平：『你見過這女孩嗎？』

『唉唉唉，』方克梅又『唉』起來了，這是她的口頭語。『我怎麼敢讓業平見到袁嘉珮，到時候他去追袁嘉珮了，我豈不是自找苦吃！』

說得像眞的一樣。韓青怦然心動了。徐業平拍着他的肩膀，笑着說：

『寫吧！說寫就寫，寫張條子對你是太簡單了！』

好！大丈夫說寫就寫，這有什麼難！他提起筆來，就寫了一張便箋：

『袁嘉佩：

在一個偶然的機會裏聽到妳的名字，不知道爲什麼很想認識妳。這樣寫條子是太唐突了些，所幸『唐突』代表的並非『荒唐』。

任何事都該有個開始，是嗎？

韓青，一九七七、十、廿、午後三：五五分』

然後，就是舞會那晚了。

韓青不該緊張的，這不是他第一次交女朋友了，他也從不認爲交女朋友是件很困難的事。但，這晚，他却莫名其妙的緊張起來。去舞會前，他刻意梳洗過，穿了自己最喜歡的一件藍襯衫，一條深藍色西裝褲，打了條深藍色的領帶，攬鏡自視，除了沒有一張『成熟而長大的臉』之外，都還好。他一再梳好他那不太聽話的頭髮，心裏輕輕咒詛了自己一句：又不是去相親！假若不爲了失去寶貝……，是的，寶貝，在去赴約前的一刹那，他心裏想的還是那個輕煙輕霧的女孩——寶貝。

舞會是借了市政系學生所租的一間獨棟洋房，那洋房有着大大的客廳。

那晚十分熱鬧，來參加的男男女女大約有二三十對。全是大學生，淡江、銘傳、東吳、輔仁、文大……各校的同學全有。七點三十分，舞會就開始了，方克梅穿了件純白的洋裝，襟上別了朵紫色蘭花，又高貴，又漂亮。徐業平也穿上了他那一百零一套西裝，是他考進大學父母送的禮物，灰色的。他們是很出色的一對，在大廳裏舞了又舞，旋轉了又旋轉。

七時四十分。袁嘉珮沒出現。

七點五十分。袁嘉珮沒出現。

八點正。袁嘉珮沒出現。

大廳裏人越來越多了，韓青却越來越氣悶了。他走到窗邊，點燃一支煙，無聊的吐着煙霧，抽煙是在補習班裏學來的，從此就戒不掉了。他吐着煙霧，不去想那個袁嘉珮，開始去想他生命裏的一些女孩——奇怪，他生命中一直沒缺過女孩子，除寶貝以外，還有別人，只是，他居然都沒有特別珍惜過任何一個人。就算對寶貝，他也是可有可無的，不是嗎？小說家筆下驚天地、泣鬼神的愛情都是杜撰，都是虛構，都是些胡說八道，偏偏就有些傻瓜讀者會去相信那些鬼話！

八點十分。

方克梅忽然帶了一個女孩子，站在他面前了。

『韓青！』方克梅笑着說：『袁嘉珮來了！』

他一驚，挺直背脊，定睛看去，他接觸了一對溫溫柔柔的大眼睛，一張白白淨淨的臉龐，和一個恬恬淡淡的微笑。

『對不起，我來晚了。』她說。『本來想不來了，怕方克梅生氣。』

哦？只怕方克梅生氣？當然，你韓某人只是個無名小卒呢！他來不及答話，方克梅已經翩然離去，把那個身材嬌小、纖瘦、文雅、而高貴的女孩留給了他。是的，纖瘦，文雅，高貴，秀麗……一時間，好多好多類似的文字都在他腦子裏堆砌起來了，而令他驚愕的，是這些文字加起來，仍然描寫不出她給他的第一個印象。他慌忙伸出手去跟她握了握手，很懊惱於自己一手心都是汗。

『不管怎樣，我還是謝謝妳來了。』他說，熄滅了煙蒂。『願意跳舞嗎？』他簡單明瞭的問，跳舞可以緩和人與人間的陌生感。

『很願意。』

他們滑進了舞池，開始跳舞。他這才發現，她居然穿着條牛仔褲，一件米色帶碎花的襯衫，那麼隨便，完全不像參加舞會的樣子。不管怎樣，她並沒有重視這舞會，不管怎樣，她並沒有重視那張紙條！不管怎樣，她對這種『介紹遊戲』完全不感興趣。但是，不管怎樣，當他盯着她的眼睛，發現她正毫不掩飾的，仔仔細細的打量着他時，他居然有『震動』的感覺！不是蓋的。

不是蓋的。接下來，他們居然談起話來了。大概是她那種不在乎，不認真的態度刺傷了他，更可能，是她那亭勻的身材，姣好的面貌（感謝方克梅，沒有弄個母夜叉來捉弄他）帶給他的意外之喜，他竟然覺得非在這個女孩面前『坦白』一點，非要讓她眞正認識他一點不可！

『妳相不相信，』他說：『我現在雖然和妳在跳舞，我心裏想的是另外一個女孩？』

多妙的談話！是想『語不驚人死不休』嗎？他說出口就後悔了，世界上有這麼笨拙的人，這麼幼稚的人，這麼虛榮的人，這麼不成熟的人——他的名字叫韓青！

她正色看他，收起了笑容，他看不到她那細細的白牙齒了。她表情鄭重而溫柔，她眼睛裏閃着幽柔的光芒，深深的望進他眼睛深處去。

『你相不相信，』她一本正經的接口：『我現在雖然和你在跳舞，我心裏想的也是另外一個男孩？』

他瞪着她，他猜，自己的表情一定很傻很驢。

『我不相信。』他說，很肯定的。

『你該相信。』她點着頭。

『為什麼？』他搖着頭。

『我不會為了一個把我名字都寫錯的男孩來赴約會，除非我正對另外一個男孩不滿意。』

『哦？』他睜大了眼睛：『我寫錯了妳的名字？妳不叫袁嘉佩？』

『是袁嘉珮，斜玉旁的珮，不是人字旁的佩。可見，你對我一無所知。』

該死，他想，眞的寫錯了。他凝視她，凝視着凝視着，突然間，他們同時笑了起來。她的笑那麼溫和那麼瀟灑那麼動人，使他的心立刻像鼓滿風的帆，充滿生氣活力和衝勁了。

『對不起。』他說，又接了句：『謝謝妳。』

『什麼對不起？什麼謝謝妳？』她追問。

『對不起的，是我把妳的名字寫錯了。謝謝妳的，是妳對另外一個男孩不滿意。』

她挑起了眉毛，瞅着他，好驚異又好稀奇的。然後，她大笑了，笑得坦率、純眞、而快活。

『你是個很有點古怪的男孩子，』她笑着說：『我想，我不會後悔來這一趟了。』

接下來，談話就像一羣往水裏游的魚，那麼流流暢暢的開始了。那個晚上，他們談了好多好多話，好像兩個早該認識而沒有認識的朋友，都急於彌補這之間的空隙似的。他告訴了她，他是個來自屏東萬巒鄉的鄉下孩子。她告訴他，她出自名門，祖父是個大將軍，父親也才從軍中退休，開了家玩具公司，她是道地的軍人子弟，湖北籍。

『想不到吧？』她揚着眉毛，笑語如珠的說：『我家的家教嚴肅，從小好像就在受軍事訓練，家裏連談天說笑都不能隨便，可是，就出了我這樣一個任性的、不按牌理出牌的女兒。』

他盯着她。想不到吧？一南一北，來自兩個世界的人，居然會在一個刻意安排的環境下邂逅？

『告訴我一些你的事，』她忽然說：『那個女孩怎樣了？』

『什麼女孩？』他怔着。

『你心裏想着的女孩子呀！』

『哦！』他恍然，睜大眼睛。『她呀！』

『她怎麼呢？』她追問。愛追根究底的女孩子！

『她不算什麼。』他搖搖頭。

『眞有她嗎？』她懷疑的。

『真有她。』他點點頭，很認真：『還不止一個，有好多個！』

『哇噻！真鮮！』她咂咂舌頭。『嘖嘖，有那麼多女朋友，你的感覺如何？』

『亂煩的！』

她笑了，爲他的吹牛而笑了。他也笑了，爲她的笑而笑了。

然後，時間是如飛般消逝，整個晚上像是一眨眼而已。方克梅、吳天威、徐業平每次從他們身邊滑過，都會對他眨眼睛，做鬼臉。他的心喜悅着，從來沒有這樣喜悅過。以前的那些女友，都不算什麼了，真的不算什麼了！有一瞬間，他覺得自己像踩在雲霧裏，那種新鮮感，那種從內心深處綻放出的渴望，快活，彷彿——他以前都白活了。雖然，面前這女孩，他才第一次遇見！

那晚，他們還談過些什麼，他都不記得了。連方克梅是什麼時候切生日蛋糕的，他也不記得了。徐業平唱了好多歌，又彈吉他，反正，他都記不得了。只記得最後，是他送她回家的。她住在三張犁，距離她家還有一條巷子，她就不許他再送了。她說：

『如果讓我媽看到這麼晚，我被男孩子送回家，準把我罵到明天天亮。』

『哦，』他一怔。『大學二年級了，還不准交男朋友嗎？』

『准。但是，要由他們先挑選。不過，』她瞅着他：『你也不能算是我的「男朋友」呢！』

他點點頭。

『給我時間。目前，妳也不能算是我的女朋友。不過，沒關係，我也會給妳時間。』

『哦！』她驚愕的揚着眉。『你這人眞……眞夠狂的！夠怪的！再見！』她想跑。

『等一等！』他喊：『告訴我妳的電話號碼。』

她猶豫了片刻。

『好！』她眼裏閃着一絲狡點：『我告訴你，可是，我只說一次，不說第二次。如果說了你記不住，我就不再說了。』

『可以。』他回答，集中了所有的注意力，他知道她眞的只會說一次。

『聽好了！』她說，然後，她飛快的報了一個數字，速度快得像連發機關槍，而且越報越低，最後一個數字已輕得像耳語。她說：『七七四──三五六八八。』

說完，她不等他再問，就像閃電一般，轉入巷子，飛快的消失了身影。

他呆站在路燈下，像傻子似的背誦着那數目字，一面背誦，一面從口袋裏掏出原子筆，在手臂的皮膚上寫下那個號碼。寫完了，他轉身往回走，自信沒有記錯任何一個字。他吹着口哨，心情輕快。明早第一件事，打個電話向她問好，也顯示顯示自己的記憶力。他走着走着，口哨吹着吹着，忽然，他覺得有點怪異，越想就越怪異，停在另一盞路燈下，他捲起衣袖去看那號碼：

『七七四—三五六八八。』

他呆住，不吹口哨了，數一數，整整八個號碼。再數一遍，還是八個號碼。老天！全台北市的電話，都是七個數目字，何來八位數！

他大嘆一聲，靠在電桿木上。那個聰明的、調皮的、狡黠的、靈慧的女孩子啊！他還是被她捉弄了。

2

韓青住在水源路，是一棟三層樓獨棟的房子，房東全家住了一二樓，再把三樓的兩間房間分租給兩個外地來的大學生，韓青住一間，另一間是東吳法律系的學生，彈一手讓人羨慕得要死的好吉他，這年代，差不多的大學生都會彈吉他唱民歌，而且會作曲兼編譜。乖乖，這時代的年輕人都有無師自通的音樂細胞，本來嘛，非洲小黑人在最原始的森林裏就懂得擊鼓作樂，唱出他們的喜怒哀樂，而他們，沒有一個人學過小蝌蚪——爬樓梯。

韓青和隔壁的大學生並不很熟，他姓王，韓青就叫他吉他王。有一陣，韓青也想學學彈吉他，吉他王教過他，徐業平也教過他，只是他沒有太大耐心，學了一陣就拋開了。水源路的房子怪怪的，像公寓，樓梯在屋子外面，却矮矮的只有三層。韓青就喜歡它的獨立性，有自己的房門鑰匙，不必經過別人的客廳和房間就可直達自己的。而且有自用的洗手間。但是，要打電話就不同了，低額的房租，不會再讓你擁有電話。所以，打電話總要從房東太太那兒借，借多了就怪不好意思的。而外面打進來電話就更難了，房東太太要在陽台上喊話，去接聽的時候又要顧及自己是否衣冠整齊。當然，也可以到外面去打公用電話，最近的一個電話亭，要走十五分鐘。

一九七七年十月二十五日，晨，九點三十分。

韓青的第一通電話打到袁家，是在房東太太家打的。房東太太去買菜了，六歲大的小女兒安安溫婉動人，開門讓他進去儘量用電話。哈，那個八個字的電話號碼可讓他傷透了腦筋。但，直覺告訴他，這八個字裏準有七個字是對的，只要除掉那一個多的號碼就行了。很簡單，應該很簡單，一定很簡單，絕對很簡單！

他終於接通了那個電話。袁嘉珮本人來接聽的，她讀的是夜間部，白天都不上課。聽到韓青的聲音，她那麼驚訝，那麼希奇。

『你怎麼打得通這個電話？』她半驚而半喜。『我知道，準是方克梅告訴你的！』

『不不！如果找方克梅，就太沒意思了！』他說，有點得意。『號碼是妳自己告訴我的！妳怎麼忘了？昨天晚上，妳親口告訴我的！』

『可是……可是……』她囁嚅著，笑著，希奇著。『我給你的號碼好像……好像……嘻嘻，嗯，哈哈……』

『嘻嘻，嗯，哈哈！』他學著她的聲音，强調的哼著。『妳的號碼很正確，只是多了一個字，我把那多的一個字刪掉，就完全正確了，很簡單。這是個排列組合的數字遊戲，告訴妳，我的數學也不壞，八個數字裏任取七個，有個公式，名字叫 P^8_7，可是妳的數字裏有兩個重複號碼，七七和八八，所以，它的公式是C的4取3乘7的階乘除以兩倍的2的階乘加上2乘7的階乘除以2的階乘，等於一萬零八十種。所以，我只要按著秩序，打它一萬零八十個電話，就一定可以打通了。』

『什麼階乘不階乘？你把我頭都搞昏了，你在講繞口令嗎？別亂蓋我了！』袁嘉珮是更加希奇，更加驚異了。『我不相信，我連你這個公式都不相信！』

『否則，我怎麼會打通呢？有人給了我這麼一個測驗題，我只好解題呀！』

『不信，不信，絕不信。』袁嘉珮笑著嚷：『有人幫了你的忙。有人在出賣我。』

『絕沒有！發誓沒有！』他斬釘斷鐵的說，也笑了。『不過，我當然不會笨到去打那麼多電話！我只是動了點腦筋，就打通了。』

『怎麼動的？』她好奇的問。

『請妳吃午餐，在午餐時告訴妳。』

『哦，原來你想請我吃午餐。』

『是。』

『可是……』她認眞的猶豫著。

『不要說可是！』他打斷她。『我請妳吃午餐，然後去看場電影，然後散散步，然後，送妳去輔大上課，六點四十分，妳有一節妳最愛的課，希臘文學。妳上課，我當旁聽生。』

『哇，』她又笑又驚奇的。『你都安排好了嗎？』

『是。』

『你自己不上課嗎？』

『我今天只有一節課，妳猜課名叫什麼？人力就業與社會安全。比妳的電話號碼還多一個字，說多複雜就有多複雜，我蹺課，陪妳去學點文學！』

『聽說，你還有點文學細胞。』

『那不算什麼。』

『沒料到你還有數學頭腦。』

『那也不算什麼。』

『哈！什麼都不算什麼！那麼，對於你，有算什麼的事嗎？』

『當然。』

『是什麼？』

『妳出來跟我吃午飯。』

『唉！』她悠悠然的嘆了口長氣：『在那兒見呢？』她低問，完全投降了。

他的心歡悅起來，血液快速的在體內奔竄，頭腦清醒而神采飛揚了。

『師大後面有家小餐館，叫小風帆，知不知道？』

『嗯，小風帆，很美的名字。』

『十一點半，小風帆見！或者，』他越來越急切了。『我現在來三張犂接妳！』

『免了！』她笑嘻嘻的。『十一點半見！』

電話掛斷了，他輕快的跳起來，用手去觸天花板。把小安安擁在懷中結結實實的吻了吻，再三步併兩步的走出房東家，跳躍著奔上樓梯，回到房間裏，在屋子裏兜了一個圈子，對著鏡子，胡亂的梳理他早上才洗過的頭，摸摸下巴，太光滑了，眞氣人！二十一歲了還沒有幾根鬍子。唉唉！今天眞好，什麼都好！連那八個數字的電話號碼，都好，什麼都好！

於是，十一點半，他和袁嘉珮在小風帆見面了。

老天！她是多飄逸啊，多靈巧啊！多雅致啊！多細膩啊！今天的她和昨晚完全不一樣了。她刻意妝扮過了，頭髮才洗過，鬆鬆軟軟黑黑亮亮的披瀉在肩上，臉上雖然不施脂粉，却那麼白皙，那麼眉目分明。她穿了件淡紫色襯衫，深紫色裙子，外面加上件繡著小紫花的背心。猛然一看，眞像朶小小的紫菀花。他多麼喜悅，因爲她刻意妝扮過了，爲了他，只是爲了他。

『告訴我，』她急切的說：『你那個繞口令是什麼玩意兒？』

『不是繞口令，是眞的。』他在餐巾紙上寫下一個方程式 $C^4_3 \times \frac{7!}{2!\times 2!} + 2\times \frac{7!}{2!} = 10080$ 遞給了她。『這就是我唸出來的那個階乘乘階乘的東西，妳瞧，妳給了人多大的難題！從沒碰到過像妳這樣的女孩，如果我數學不好，嗯哼，我豈不完了！』

『別蓋了！講眞的！』她瞅著他，笑著，祈求著。

『好，講眞的。』他認眞的看她。『不過，講出來妳就不會覺得好玩了。還是不講的好！』

『講講！』她好奇極了。『一定要講！』

『其實，』他笑了。『好簡單，我打了個電話給電信局，問他們七字頭的電話是不是每個數字都有，因爲我知道三張犂是屬於七字頭的，結果，電信局小姐告訴我，沒有七七四，只有七七三。所以，那個四字是妳加出來的，我只要去掉妳加的數字，就對了！』

『哦？』她張大了眼睛，張大了嘴。『就這麼簡單？』

『就這麼簡單。』他說，有些後悔，不該告訴她的。

她的眼睛亮閃閃，她的嘴唇潤潤的，她的面頰上泛出了淡淡的紅暈。

『唉！』她嘆口氣，却掩飾不住眼中的折服。『你是個相當聰明的傢伙，我該對你小心些！』

『不必小心……』他衝口而出：『只要關心！』

『唉！』她再嘆氣，眼底有武裝的神色：『你……』

『別說！』他阻止她，慌忙更正：『說錯了，不要妳關心，只要妳開心。』

她用手遮住眼睛，笑了。不願給他看到，不願讓他知道她那麼容易接近，更不願讓他知道這麼短暫的時光裏，他已給了她多深刻的印象。她遮著眼睛笑，可是，笑著，笑著，她的手就落到桌面上去了。她不能不坦率的面對他，那個漂亮的小男生！哦，眞的，那帶著幾分稚氣的臉龐，那蓬鬆的頭髮，那動人的眼神和純眞的笑；眞的，是個漂亮的小男生呢！

於是，這一整天，完全按照了他所計畫的，他們吃了午餐，散步，看了場電影，晚上，他們在輔仁大學的餐廳『仁園』裏共進簡單的晚餐，他再陪她去上了課。

上會話課時，出了件小小錯誤，那位名叫約翰的外國教授，竟以爲韓青是班上的學生，居然誰也不找，就找上了他，用英文問了他一大堆問題。袁嘉珮心都提到了喉嚨口，那個唸什麼『勞工關係系』，會算什麼階乘乘階乘的傢伙，可別當衆出醜啊！她坐在那兒，頭都不敢回。可是，當她驚愕的聽到韓青流利的回答時，她簡直驚呆了，難道這傢伙什麼都懂一點嗎？然後，她聽到身後有兩位女同學在竊竊私語，討論這『新』來的『男生』時，她突然就那麼，那麼，那麼的驕傲起來了。

這就是，一個男孩和一個女孩相遇、認識、欣賞的開始。幾天後，在韓青的日記上就有這樣幾句：

方克梅問我，喜歡袁嘉珮沒有？
我說很喜歡。

方克梅說袁嘉珮很不簡單，
要我放慢腳步等袁嘉珮。
如今我在想袁嘉珮，
會不會加緊腳步跟上來。

3

十一月中的一個下午，天氣涼涼的，秋意正濃。袁嘉珮第一次跟韓青到了他的家——水源路的小屋裏。

一張床，一張書桌，一張椅子，一盞枱燈，一個唱機，一個壁橱，一間浴室……很多的『二』，却有無數的肥皂箱，肥皂箱疊了起來，裏面堆著無數無數的書，和無數的唱片。

袁嘉珮好緊張，坐在那唯一的一張椅子上，不停的用手指繞著頭髮，眼光跟著韓青轉。韓青把她的課本放在桌上，她晚上還要去上課，沒看過比她更用功、更不肯蹺課的女孩子，而且，她還是班代表呢！如果不是有太多的英文生字要查，而沒有任何一個地方適合去做功課，她大概還不肯跟他回家呢！

他倒了一杯水給她。她端著杯子，小小心心的潤了潤嘴唇，眼角偷瞄著他，很不放心似的。

『怎麼了？』他問。『不渴嗎？』

『不，』她輕哼著。『問一個問題，你別生氣。』

『好。妳問。』

『這杯水裏面——』她細聲細氣的說：『有沒有放迷幻藥什麼的？』

他瞪著她。生氣了。她把他想成什麼樣的人了？會有那麼卑鄙嗎？怪不得從不肯跟他回家呢。他什麼話都沒說，只是搶過那杯水來，仰著頭一飲而盡。

『啊！』她輕呼著：『說好了不生氣的！』

『沒生氣。』他簡短的說。坐在床沿上，他打開她的英文課本，拿起字典，幫她查起英文生字來，一面查，一面頭也不抬的說：『妳去聽唱片吧，有妳最喜歡的披頭，有奧麗薇亞紐頓莊，有好多歌星的歌。』

她偷眼看他。他很嚴肅的樣子，低著頭，不苟言笑，只是不停的翻字典。她有些心慌慌，從沒看過他這樣。呆呆的坐在那兒，她一個勁兒的用手指繞頭髮，半天，才說了幾句話，很坦白的幾句話。

『很多同學都在談，你們住在外面的這些男生，都有些鬼花樣。而且……而且……你的名譽也不是很好。有人警告我，叫我離開你遠一點。』

他從字典上抬起頭來了，正色的看著她：

『我知道我的名譽並不很好，我也沒有隱瞞過妳什麼事，我交過好多女朋友。但是，我不需要用什麼迷幻藥，如果我眞要某個女孩子，我想，我的本身比迷幻藥好。』

她瞪著他，迷惑的。

『看著我！』他說，忽然把手蓋在她那緊張兮兮的手上，握緊了她。『我可能永遠只是個小人物，但是，我有很豐富的學識，有很高的智慧，有很好的涵養，有第一流的口才……像我這樣一個人，會需要用卑鄙的手腕來達到什麼目的嗎？』

『噢！』她輕呼著。『你憑什麼如此自負？』

『我培養了二十年，才有這一個自負，妳認爲我該放棄嗎？』

她的眼睛睜得更大了。

『他們說你狂妄，我現在才明白你有多狂妄！奇怪，在我前面那些女孩呢？她們都不能在你心裏刻上痕跡嗎？都不能佔據你的靈魂嗎？還是——你從沒有眞正想要過她們？想奉獻過你自己？』

他不答，只是靜靜的凝視她。半晌，他才說：

『妳要我怎麼回答？過去的一切不見得很美很美。妳要我細說從頭，來剖析我自己嗎？來招供一切嗎？如果妳要聽，我會說，很詳細很詳細的說……』

『哦，不不。』她慌張的阻止。『你不必說。』

『因爲妳還不準備接受我！』他敏銳的接口。『好，那麼，我就不說，反正，那些事情也……』

『不算什麼！』她衝口而出的接了一句，只因爲這『不算什麼』是他的口頭語，他總愛說這個不算什麼，那個不算什麼。她一說出口，他就怔住了。然後，他瞪她，然後，她瞪他，然後，他們就一塊兒笑起來了。

笑是多麼容易拉攏人與人間的距離，笑是多麼會消解誤會。笑是多麼甜甜蜜蜜、溫溫暖暖的東西呀，他們間的緊張沒有了，他們間的暗流沒有了，他們間的尷尬沒有了。但是，當她悄悄把自己的手從他手中抽出去的時候，他才知道，他絕不能對她孟浪，正像方克梅說的，她是個保守的、矜持的、乖女孩。他有一絲絲受傷，接受我吧！他心裏喊著。可是，他却又有點矛盾的欣賞和欽佩感，她連握握手都矜持，一個乖女孩，一個那麼優秀，那麼活潑，那麼有深度，那麼調皮，却那麼潔身自愛的女孩！如果以前從沒有男孩沾惹過她，那麼，他更該尊敬她。越是難得到的越是可貴。他生命中所有的女孩都化爲虛無……只有眼前這一個：溫柔的笑著，恬然的笑著，安詳的笑著，笑得那麼誘人那麼可愛，却不許他輕率的輕輕一觸。他嘆口氣，挺直背脊，打開書本，正襟危坐，繼續幫她查英文生字。

『去去去！』他輕叱著：『去聽妳的音樂去！』

『好！』她喜悅的應著，跑去開唱機，翻唱片，一會兒，他就聽到她最喜愛的那支 All Kinds of Everything 在唱起來了。他拋開字典，傾聽那歌詞，拿起一張紙，他不由自主的隨著那歌聲，翻譯那歌詞：

『雪花和水仙花飄落，
蝴蝶和蜜蜂飛舞，
帆船、漁夫和海上一切事物，
許願井、婚禮的鐘聲，

以及那早晨的清露，
萬事萬物，萬事萬物，
都讓我想起妳——不由自主。

海鷗，飛機，天上的雲和霧，
風聲的輕嘆，風聲的低呼，
城市的霓虹，藍色的天空，
萬事萬物，萬事萬物，
都讓我想起妳——不由自主。

夏天，冬天，春花和秋樹，
星期一，星期二都爲妳停駐，
一支支舞曲，一句句低訴，
陽光和假期，都爲妳停駐，

萬事萬物，萬事萬物，
都讓我想起妳——不由自主。

夏天，冬天，春花和秋樹，
山河可變，海水可枯，
日月可移，此情不變，
萬事萬物，萬事萬物，
都讓我想起妳——不由自主！』

哦，美好的時光！美好的青春，美好的萬事萬物！就有那麼一段日子，他們每天下午窩在水源路的小屋裏，她聽唱片，他查字典，却始終保持著那麼純那麼純的感情，他只敢握握她的手，深怕進一步就成了冒犯。直到有一天，他正查著字典，她彎腰來看他所寫的字，她的頭髮拂上了他的鼻尖，癢癢的。他伸手去拂開那些髮絲，却意外的發現，在她那小小的耳垂上，有一個凸出來的小疙瘩，像顆停在花瓣上的小露珠。他驚奇的問：

『妳耳朵上面是個什麼？』

『噢！』她笑了，伸手摸著那露珠。『我生下來就有這麼個小東西，湖北話，叫這種東西是鮀鮀，所有圓圓的鼓出來的東西都叫鮀鮀，所以，我小時候，祖父祖母都叫我鮀鮀。』

『鮀鮀？』他幾乎是虔誠的看著她，虔誠的重複著這兩個音。『怎麼寫？』

『隨你怎麼寫，鮀，一個發音而已。』

『鮀鮀。』他唸著，她的乳名。『鮀鮀。』他再唸著，只有她有的特徵。『鮀鮀。』他第三次唸，越唸越順口。『鮀鮀。』他重複了第四次。

『你幹什麼？』她笑著說：『一直鮀鮀啊鮀鮀的。』

『我喜歡這兩個字，』他由衷的說，驚嘆著。『我喜歡妳的耳垂，我喜歡只有妳才有的這樣東西——鮀鮀。啊！』他長嘆，吸了口氣。『我喜歡妳，鮀鮀。』

他把嘴唇蓋在她的耳垂上，熱氣吹進了她的耳鼓，她輕輕顫動，軟軟的耳垂接觸著他軟軟的嘴唇，她驚悸著，渾身軟綿綿的。他的唇從她的耳垂滑過去，滑過去，滑過她平滑光潔的面頰，落在她那濕潤、溫熱、柔軟的嘴唇上。

從沒有一個時刻他如此震動，從沒有一個時刻他如此天旋地轉，在他生命中，這絕不是他的初吻，是不是她的，他不敢問，也不想知道，但，生平第一次，他這樣沉入一個甜蜜醉人的深井裏，簡直不知自身之存在。哦，鮀鮀！鮀鮀！他心中只是輾轉低呼著這名字。擁她於懷，擁一個世界於懷。一個世界上只是一個名字——鮀鮀。湖北話，它代表的意思是『小東西』。『小東西』，這小東西將屬於他。他輾轉輕吻著那濕熱的唇。鮀鮀，一個小東西。一粒沙裏能看世界，一朵野花裏能見天國，在掌中盛住無限，一刹那就是永恆！哦，鮀鮀，她是他的無限，她是他的世界，她是他的天國，她是他的永恆。

4

韓青始終不能忘懷和鮀鮀初吻時，那種天地俱變，山河震動，世界全消，時間停駐的感覺。這感覺如此强烈，如此帶著巨大的震撼力，是讓他自己都感到驚奇的。原來小說家筆下的『吻』是眞的！原來『一吻定江山』也是眞的！有好些天，他陶醉在這初吻的激情裏。可是，當有一天他問她，她對那初吻的感覺如何時，她却睜大了她那對黑白分明的眸子，坦率的，毫不保留的說：

『你要聽眞話還是聽假話？』

廢話！韓青心想。他最怕袁嘉珮說這種話，這表示那答案並不見得好聽。

『當然要聽眞的！』他也答了句廢話。

『那麼，我告訴你。』她歪著頭回憶了一下，那模樣又可愛又嫵媚又溫柔又動人。那樣子就恨不得讓人再吻她一下，可是，當時他們正走在大街上，他總不便於在大庭廣衆下吻她吧！她把目光從人潮中拉回來，落在他臉上，她的面容很正經，很誠實。『你吻我耳朵的時候，我只覺得好癢好癢，除了好癢，什麼感覺都沒有。等你吻到我嘴唇時……嗯，別生氣，是你要問的哦……我有一剎那沒什麼思想，然後，我心裏就喊了句：糟糕！怎麼被他吻去了！糟糕！怎麼一點感覺都沒有？糟糕，怎麼不覺得 romantic？糟糕！被他吻去了是不是就表示我以後就該只屬於他一個人了？……』

『停！』他叫停。心裏是打翻了一百二十種調味瓶，簡直不是滋味到了極點。世界上還能有更掃興的事嗎？當你正吻得昏天黑地，靈魂兒飛入雲霄的當兒，對方心裏想的是一連串的『糟糕』。他望著她，她臉上那片坦蕩蕩的眞實使他更加洩氣，鮀鮀，妳爲什麼不撒一點小謊，讓對方心裏好受一點呢？鮀鮀，妳這個讓人恨得牙癢癢的小東西！

袁嘉珮看看他，他們在西門町的人潮裏逛著，他心裏生著悶氣，不想表現出來，失意的感覺比生氣多。他在想，他以後不會再吻她，除非他有把握她能和他進入同一境界的時候。鮀鮀，一個『小東西』而已，怎麼會讓他這樣神魂失據，不可自拔！

『哎喲！糟糕！』她忽然叫了一聲，用手摀著耳朵。

『怎麼了？』他嚇了一跳，盯著她，她臉色有些兒怪異，眼睛直直的。

『我的耳朵又癢了！』她笑起來，說。

『這可與我無關吧？』他瞪她：『我碰都沒碰妳！』

『你難道沒聽說過，當有人心裏在罵你的時候，你的耳朵就會癢？』

『嗯，哼，哈！』他一連用了三個虛字。『我只聽說，如果有人正想念著你的時候，你的耳朵就會癢。』

『是嗎？』她笑著。

『是的。』他也笑著。

她快活的揚揚頭，用手掠掠頭髮，那姿態好瀟灑。她第一次主動把手臂插進他手腕中，與他挽臂而行，就這樣一個小動作，居然也讓韓青一陣心跳。

幾天後，他買了一張小卡片，卡片正面畫著個抱著朵小花的熊寶寶，豎著耳朵直搖頭。卡片上的大字印著：

『最近耳朵可曾癢癢？』

下面印了行小字：

『有個人正惦記著妳呢！』

他在小卡片後面寫了幾句話：

『鴕鴕：

耳朵近日作怪，

癢得發奇，

想必是妳。

今夜又癢，

跑出去買了此卡，稍好。

青』

他把卡片寄給了她。

他沒想到，以後，耳朵癢癢變成了他們彼此取笑，彼此安慰，彼此表達情衷的一種方式。而且，也在他們後來的感情生涯中，扮演了極重要的角色。

十一月底，天氣很涼了。

這天是星期天，難得的，不管上夜校還是上日校的人，全體放假，於是，不約而同的，大家都聚集到韓青的小屋裏來了。徐業平帶著方克梅，吳天威還是打光桿，徐業平那正念新埔工專，剛滿十八歲的弟弟徐業偉也帶著個小女友來了。徐業偉和他哥哥一樣，會玩，會鬧，會瘋，會笑，渾身充滿了用不完的活力。他還是個運動好手，肌肉結實，田徑場上，拿過不少獎牌獎杯。游泳池裏，不論蛙式、自由式、仰式……都得過冠軍。他自己總說：

『我前輩子一定是條魚，投胎人間的。因爲沒有人比我更愛水，更愛海。』

其實，徐業偉的優點還很多，他能唱，能彈吉他，還會打鼓。

這天，徐業偉不但帶來了他的小女友，還帶來了一面手鼓。徐業偉介紹他的女友，只是簡單的一句話：

『叫她丁香。』

『姓丁名香嗎？』袁嘉珮好奇地問。『這名字取得眞不錯！』

『不是！』徐業偉敲著他的手鼓，發出很有節奏的『嘭嘭，嘭嘭嘭！』的聲音，像海浪敲擊著岩石的音籟。『她既不姓丁，也不叫香，只因爲她長得嬌嬌小小，我就叫她丁香，你們大家也叫她丁香就對了！』

丁香眞的很嬌小，身高大約才只有一五五公分左右，站在又高又壯的徐業偉身邊，眞像個小香扇墜兒。丁香，這綽號取得也很能達意。她並不很美，但是好愛笑，笑起來又好甜好甜，她的聲音清脆輕柔，像風鈴敲起來的叮噹聲響。她好年輕，大概只有十六、七歲。可是，她對徐業偉已經毫無避諱，就像小鳥依人般依偎著他，用崇拜的眼光看他，當他打鼓時，爲他擦汗，當他高歌時，爲他鼓掌，當他長篇大論時，爲他當聽衆。

韓青有些羨慕他們。雖然，他也一度想過，現在這代的年輕人都太早熟了，也太隨便了，男女關係都開始得太早了。於是，他們生命裏往往會失去一段時間——少年期。像他自己，好像就沒有少年期。他是從童年直接跳進青年期的。他的少年時代，全在功課書本的壓力下度過了。至於他的童年，不，他也幾乎沒有童年……搖搖頭，他狠命搖掉了一些回憶，定睛看徐業偉和丁香，他們親暱著，徐業偉揉著丁香的一頭短髮，把它揉得亂蓬蓬的，丁香只是笑，笑著躲他，也笑著不躲他。唉！他們是兩個孩子，兩個不知人間憂苦的孩子！至於自己呢？他悄眼看袁嘉珮，正好袁嘉珮也悄眼看他，兩人目光一接觸，他的心陡然一跳，噢，鴕鴕！他心中低喚，我何來自己，我的自己已經纏繞到妳身上去了。

鴕鴕會有同感嗎？他再不敢這樣想了。自從鴕鴕坦白談過『接吻』的感覺之後，他再也不敢去『自作多情』了。許多時候，他都認爲不太瞭解她，她像個可愛的小謎語，永遠誘惑他去解它，也永遠解不透它。像現在，當徐業偉和丁香親熱著，當方克梅和徐業平也互摟著腰肢，快樂的依偎著。……鴕鴕却離他好遠，她站在一邊，笑著，看著，欣賞著……她眼底有每一個人，包括乖僻的吳天威，包括被他們的笑鬧聲引來而加入的隔壁鄰居吉他王。

是的，吉他王一來，房裏更熱鬧了。

他們湊出錢來，買了一些啤酒（怎麼搞的，那時大家都窮得慘兮兮），女孩子們喝香吉士。他們高談闊論過，辯論過，大家都損吳天威，因爲他總交不上女朋友，吳天威乾了一罐啤酒，大發豪語：

『總有一天，我會把我的女朋友帶到你們面前來，讓你們都嚇一跳！』

『怎麼？』徐業偉挑著眉說：『是個母夜叉啊？否則怎會把我們嚇一跳？』

大家哄然大笑著，徐業偉一面笑，還一面『嘭嘭嘭，嘭嘭嘭』的擊鼓助興，丁香笑得滾到了徐業偉懷裏，方克梅忘形的吻了徐業平的面頰，徐業平捉住她的下巴，在她嘴上狠狠的親了一下。徐業偉瘋狂鼓掌，大喊安可。哇，這瘋瘋癲癲的徐家兄弟。

然後，吉他王開始彈吉他，徐業平不甘寂寞，也把韓青那把生銹的破吉他拿起來，他們合奏起來，多美妙的音樂啊！他們奏著一些校園民歌，徐業偉打著鼓，他們唱起來了。他們唱『如果』：

『如果你是朝露，
我願是那小草，
如果你是那片雲，
我願是那小雨，
如果你是那海，

我願是那沙灘……』

他們又唱『下著小雨的湖畔』，特別強調的大唱其中最可愛的兩句：

『雖然我倆未曾許下過諾言，
眞情永遠不變……』

唱這兩句時，方克梅和徐業平癡癡相望，千言萬語，盡在不言中，小丁香把腦袋靠在徐業偉的肩上，一臉的陶醉與幸福。韓青和袁嘉珮坐在地板上，他悄悄伸手去握她的手，她面頰紅潤著，被歡樂感染了，她笑著，一任他握緊握緊握緊她的手。噢，謝謝妳！他心中低語：謝謝妳讓我握妳的手，謝謝妳坐在我身邊，謝謝妳的存在，謝謝妳的一切。鮀鮀，謝謝妳。

他們繼續唱著，唱『蘭花草』，唱『捉泥鰍』，唱『小溪』：

『別問我來自何方，

別問我流向何處；
你有你的前途，
我有我的歸路……』

這支歌不太好，他們又唱別的了，唱『橄欖樹』，唱『讓我們看雲去』。最後，他們都有了酒意了，不知道爲什麼，他們大唱特唱起一支歌來：

『匆匆，太匆匆，
今朝有酒今朝醉，
昨夜星辰昨夜風！
匆匆，太匆匆，
春歸何處無人問，
夏去秋來又到冬！
匆匆，太匆匆，

年華不爲少年留，
我歌我笑如夢中！
匆匆，太匆匆，
潮來潮去無休止，
轉眼幾度夕陽紅！

匆匆，太匆匆，
我欲乘風飛去，
伸手抓住匆匆！
匆匆，太匆匆，
我欲向前飛奔，
雙手挽住匆匆！
匆匆，太匆匆，
我欲望空吶喊，

高聲留住匆匆！

匆匆，別太匆匆！

匆匆，別太匆匆！』

是『少年不識愁滋味』嗎？是『爲賦新詞强說愁』嗎？是知道今天不會爲明天留住嗎？是預感將來的茫然，是對未來的難以信任嗎？他們唱得有些傷感起來了。韓青緊握著鮀鮀的手，眼眶莫名其妙的濕了。他心裏只在重複著那歌詞的最後兩句：

『匆匆，別太匆匆！

匆匆，別太匆匆！』

5

方克梅特意來找韓青談話，是那年冬天的一個早上，華岡的風特別大，天氣特別冷，連那條通往『世外桃源』的小徑都凍硬了，路兩邊的雜草都在寒風中瑟瑟發抖。方克梅和徐業平兩個，一直不停的在說話。韓青踩在那小徑上，聽著遠遠的瀑布聲，聽著穿梭而過的風聲，聽著小溪的淙淙，只覺得冷，冷，冷。什麼都冷，什麼都凍僵了，什麼都凝固了。包括感情和思想。

『韓青，你別怪我，』方克梅好心好意的說：『介紹你和袁嘉珮認識的時候，我並不知道你會一頭栽進去，就這樣正經八百的認起眞來了，你以前和寶貝，和邱家玉，和小翠都沒認眞過，這一次是怎麼了？』

『我告訴你，』徐業平接口：『男子漢大丈夫，交女朋友要瀟灑一點，拿得起，放得下，聚則聚，散則散……這樣才夠男子氣！』

『嗬，徐業平！』方克梅一個字一個字的怪叫著：『你是拿得起，放得下，聚則聚，散則散，夠男子氣的大丈夫啊！你是嗎？是嗎？……』

『不不不！我不是！我不是！』徐業平慌忙對方克梅豎了白旗，舉雙手作投降狀。『我自從遇到妳方姑娘，就拿得起，放不下啦，男子漢不敢當，大丈夫嗎——總還算吧！』他問到方克梅臉上去。『等妳嫁給我，當我的小妻子的時候，我算不算妳的大丈夫呢？』

『要命！』方克梅又笑又罵又羞又喜，在徐業平肩上狠狠搥了一拳。差點把徐業平打到路邊的小溪裏去。徐業平大叫：

『救命，有人要謀殺親夫！』

韓青看著他們，他們是鄭而重之的來找他『談話』的，現在却自顧自的在那兒打情罵俏起來了。韓青一個人往前走，孤獨，孤獨，孤獨，孤獨。冬天，你怎麼不能凍死孤獨？他埋著頭走著，還不太敢相信方克梅告訴他的：

『袁嘉珮另外還有男朋友，是海洋學院的，認識快一年了，他們始終有來往。所以，你千萬不要對袁嘉珮太死心眼兒！』

不是眞的，他想。是眞的，他知道。

現在知道她爲什麼忽熱忽冷了，現在知道她爲什麼在接吻時會想到一連串的『糟糕』了。不知那海洋學院的有沒有吻過她？當時她想些什麼？

『喂！韓靑，走慢一點！』方克梅和徐業平追了過來。他們來到了那塊豁然開朗的山谷，有小樹，有野花，有岩石，有草原……只是，都凍得僵僵的。

『你眞的「愛上」袁嘉珮了嗎？』方克梅懇切的問：『會不會和寶貝一樣，三分鐘熱度，過去了就過去了？你的歷史不太會讓人相信你是癡情人物。你知道，袁嘉珮對你根本有些害怕……』

『她對妳說的嗎？』他終於開了口，盯著方克梅。『是她要妳和我談的，是吧？』

『哦，這個……』方克梅囁嚅著。

『是她要妳來轉告我，要我離開她遠一點，是不是？是她要妳來通知我，我該退出了，是不是？』

『噢，她不是這意思，』方克梅急急的說：『她只覺得你太熱情了，她有些吃不消。而且，她一直很不穩定，她是個非常情緒化的女孩。你相不相信，大一的時候，有個政大的學生，只因爲打電動玩具打得一級棒，她就對人家崇拜得要死！她就是這樣的，她說她覺得自己太善變了，她好怕好怕……會傷害你！』

韓青走到一棵樹下面，坐下來，用雙手抱住膝，把下巴擱在膝蓋上，呆呆的看著前面一支搖搖曳曳的蘆葦。

『喂！喂！』徐業平跳著腳，呵著手。『這兒是他媽的冷！咱們回學校去喝杯熱咖啡吧！』

『你們去，我在這兒坐一下。』韓青頭也不抬的說。

『韓青！』方克梅嚷著：『把自己凍病了，也不見得能追到袁嘉珮呀！』

『我不冷。』他咬著牙。『我只想一個人靜一靜。』

『那麼，你在這兒靜吧！』徐業平敲敲他的肩，忽然在他耳邊低聲問：『你什麼時候下山？』

『不知道。』他悶聲的。

『那麼，』徐業平耳語著：『你房門鑰匙借我，我用完了會把鑰匙放在老地方。』

他一語不發的掏出鑰匙，塞進徐業平手裏。這是老花樣了。

徐業平再敲敲他的肩，大聲說：

『別想不通了去跳懸崖啊！這可不是世界末日，再說嘛，袁嘉珮也沒有拒絕你呀，如果沒有一兩個情敵來競爭一下，說不定還不夠刺激呢！』

『唉唉唉，』方克梅又『唉』起來了。『你是不是在暗示我什麼，想找點刺激嗎？』

『不不不！』徐業平又打躬又作揖。『我跟他說的話與妳無關，別儘攪局好不好？』

『不攪局，』方克梅說：『如果你們兩個男生要說悄悄話，我退到一邊去。』她眞的退得好遠好遠。

『韓青，』徐業平臉色放正經了，關懷的，友情的、嚴肅的注視着他，不開玩笑了，他的語氣誠懇而鄭重。『我們才唸大學三年級，畢業後還要服兩年兵役，然後才能談得上事業、前途，和成家立業。來日方長，可能太長了！我和小方這麼好，我都不敢去想未來。總覺得未來好渺茫，好不可信賴，好虛無縹緲。那個袁嘉珮，在學校裏追求的人有一大把，她的家庭也不簡單，小方說，袁嘉珮父母心裏的乘龍快婿不是美國歸國的博士，就是台灣工商界名流的子弟。唉！』他嘆口氣。『或者，小方父母心裏也這麼想，我們都是不夠資格的！』他安慰的拍拍他。『想想淸楚吧，韓青，如果你去鑽牛角尖，只會自討苦吃。不如——今朝有酒今朝醉！你以前不是也只談今朝，不談明天的嗎？』

『因爲——』他開了口：『我以前根本沒有愛過！』

徐業平望着他默默搖頭。

『這樣吧，我叫小方給你再介紹一個女朋友！』

『你的意思是要我放棄袁嘉珮？』

『不是。』徐業平正色說：『她能同時交兩個男朋友，你當然也可以同時交兩個女朋友，大家扯平！』

他不語，低頭去拔腳下的野草。

『好了，我們先走一步了，我吃不消這兒的冷風！我勸你也別在這兒發傻了！』

『別管我，你們去吧！』

『好！拜拜！』

方克梅和徐業平走了。

韓青坐在那兒，一直坐到天色發黑。四周荒曠無人，寒風刺骨。凍不死的是孤獨，凍得死的是自負。忽然間，他的自負就被凍死了，信心也被凍死了，狂妄也被凍死了……他第一次正視自己——一個寂寞的流浪的孩子，除了幾根傲骨（已經凍僵，還沒凍死），他實在是一無所有。那些雄心呢？那些壯志呢？那些自命不凡呢？他驀然回首，四周是一片荒原。

很晚他才回到台北，想起今天竟沒有打電話給鴕鴕，沒有約她出來，沒有送她去上課。但是，想必，她一定瞭解，是她叫方克梅來警告他的。鴕鴕，一個發音而已。你怎能想擁有一個抽象的發音？

他在花盆底下摸到自己的鑰匙，打開房門，進去了，說不出有多疲倦，說不出有多落寞，說不出有多孤寂。一屋子冷冷的空曠迎接着他。他把自己投身在床上，和衣躺在那兒，想像徐業平和方克梅曾利用這兒溫存過。屬於他的溫存呢？不，鴕鴕是乖孩子，是不能冒犯的，是那麼矜持那麼保守的，他甚至不敢吻她第二次……不，鴕鴕沒有存在過，鴕鴕只是一個發音而已。

模模糊糊的，他睡着了。

模模糊糊的，他做夢了。

他夢到有個小仙女打開了他的房門，輕輕悄悄的飄然而入。他夢到小仙女停在他的床前，低頭凝視他。他夢到小仙女伸手輕觸他的面頰，拭去那面頰上不自禁流出的淚珠。他夢到小仙女拉開一床棉被，輕輕輕輕的去蓋住他那不勝寒瑟的軀體……

他突然醒了。

睜開眼睛，他一眼就看到了鴕鴕，不是夢，是眞的。她正站在那兒，拉開棉被蓋住他。他這才想起，他給過鴕鴕一副房門鑰匙，以備她要來而他不在家時用的。是她，她來了！她眞的來了！

他睜大眼睛看她，她的面頰白白的，嘴唇上沒有血色，兩眼却又紅又腫。她哭過了，爲什麼呢？誰把她弄哭了？那該死的傢伙！那該死的讓鴕鴕流淚的傢伙！他伸出手去，握住她的手。她那凍得冷冷的小手在他掌心中輕顫着，她瞅着他，那樣無助的瞅着他，兩行淚珠就骨碌碌的從她那大理石般的面頰上滾落下來了。該死！是誰把她弄哭了？是誰把她弄哭了？

『鴕鴕。』他輕喊，聲音啞啞的，都是在『世外桃源』吹冷風吹啞的。『鴕鴕，』他再喊：『妳不要哭，如果妳哭了，我也會掉眼淚的。』

她一下子就在床前跪下來了，她用手指撫摸着他的眼睛，他的睫毛，他濕濕的面頰。

『傻瓜！』她嗚咽着說：『是你先哭的。你在睡夢裏就哭了。』更多的淚珠從她面頰上滾落，她用雙手緊緊抱住了他的頭，低聲喊了出來。『原諒我！韓青！我不要你傷心的！我最怕最怕的就是讓你傷心的！原諒我！原諒我！原諒我！』

爲什麼他的心如此跳動，爲什麼他的眼眶如此漲熱，爲什麼他的喉嚨如此哽痛，爲什麼他的神志如此昏沉？爲什麼他的鴕鴕哭得這樣慘兮兮？他伸手去摸她的臉，她的頭立刻俯了下來，她的唇忽然就蓋在他的唇上了。

要命！又開始天旋地轉了。又開始全心震撼了。又開始什麼都不知道了。又開始接觸到天國、世界、無限、和永恆了。

6

接下來的一段日子，他們幾乎又天天見面了，即使不見面，他們也會互通一個電話，聽聽對方的聲音。韓青始終沒有問過她，關於那個海洋學院的學生的事，她也絕口不提。可是，韓青知道她的時間是很多的，輔仁夜校的課從晚間六點四十分開始上到十一點十分，她不見得每天都有課，偶爾也可以蹺課一下，然後，漫長的白天都是她自己的。他只能在早晨九點半和她通個電話，因爲她說：

『那時候才能自由說話，媽媽去買菜了，爸爸去上班了，老二、小三、小四都去唸書了，家裏只有我。』

他沒想過是不是該在她的家庭裏露露面。徐業平在『世外桃源』的一篇話深深的影響了他。使他突然就變得那麼不敢去面對未來了。是的，未來是一條好漫長的路，要唸完大學四年，要服完兵役兩年，再『開始』自己的事業，如果能順利找到工作，安定下來，可能又要一兩年，屈指一算，五、六年橫亙在前面，五、六年，五、六年間可以有多大的變化！他連五、六個月都沒把握，因爲，袁嘉珮那漫長的白天，並不都是交給他的。他也曾試探的問過她：

『昨天下午妳去了那裏？』

或者是：

『今天下午我幫妳查字典，妳不要在外面亂跑了，好嗎？當心又弄個胃痛什麼的！』

她的『胃』是她身體中最嬌弱的一環，吃冷的會痛，吃辣的會痛，吃難消化的東西也會痛。但是，她偏偏來得愛吃冰、愛吃辣、愛吃牛肉乾和豆腐乾。第一次她在他面前胃痛發作，是在『金國西餐廳』，剛吃完一客『黑胡椒牛排』，她就捧著胃癱在那座位上了。她咬緊牙關，沒有說一個『痛』字，可是，臉色白得就像一張紙，汗珠一粒粒從她額上冒出來。把他完全嚇傻了。他捉住她的手，發現她整個人都是僵硬的；肌肉全繃得緊緊的，手心裏也都是汗，她用手指掐著他，指頭都陷進他的手臂裏。他不知道發生了什麼？直覺告訴他，非送醫院不可。但她死抓著他，不許他去叫計程車，一疊連聲的說：

『不要小題大作！馬上就會好！馬上，馬上，馬上就會好！』

『可是，妳是怎麼了？』他結舌的問：『怎麼會痛成這樣子？怎麼會？』

『只是胃不好。』她吸著氣，想要微笑，那笑容沒成型就在唇邊僵住了。『你不要急成這樣好不好？』她反而安慰起他來了。『我這是老毛病，痛也痛了二十年了，還不是活得好好的？』

『沒看過醫生嗎？』

『看過呀！』她疼痛漸消，嘴上就湧出笑容來了，雖然那臉色依舊白得像大理石，嘴唇依然毫無血色。『醫生說沒什麼，大概是神經痛吧，你知道我這個人是有點神經質的。而且，女孩子嘛，偶爾有點心痛胃痛頭痛的，才來得嬌弱和吸引人呀！所以，西施會捧心，我這東施也就學著捧捧胃呀！』

她居然還能開玩笑，韓青已快爲她急死了。

『妳必須去徹底檢查，』他堅決的說：『這樣痛一定有原因，神經痛不會讓妳冷汗都痛出來了。改天，我帶妳去照X光！』

『你少多事了！我生平最怕就是看醫生，我告訴你，我只是太貪吃了，消化不良而已，你去幫我買包綠色胃藥來，就好了！』

他爲她買了胃藥，從此，這胃藥他就每天帶著，一買就買一大盒。每次他們吃完飯，他就強迫性的餵她一包胃藥，管她痛還是不痛。她對他這種作風頗不耐煩，總嫌他多此一舉。但她也順著他，去吃那包胃藥，即使如此，她還是偶爾會犯犯胃病。每次犯胃病，韓青就覺得自己是天下最無能最無用的人，因爲他只能徒勞的看著她，卻不知該如何減輕她的痛苦。午夜夢回，他不止一次在日記上瘋狂的寫著：

『上帝，如果祢存在。我不敢要求祢讓她不痛，但是，讓我代她痛吧！我是如此强壯，可以承擔痛楚，她已如此瘦弱，何堪再有病痛？』

上帝遠在天上，人類的難題太多了，顯然上帝忽略了他的祈禱，因爲每次痛的仍然是她而不是他。

韓青不敢追問海洋學院那學生的事，他只敢旁敲側擊，對於他這一手，袁嘉珮顯然很煩惱，她會忽然間就整個人都武裝起來：

『如果你希望我們的友誼長久維持下去，最好不要太干涉我的生活，也不要追問我什麼。算算看，我們認識的時間才那麼短，我們對未來，都還是懵懂無知的。韓青，你一定要眞正認清楚我，在你眞正認清楚我以前，不要輕言愛字，不要輕言未來，不要對我要求允諾，也不要對我來什麼海誓山盟，否則，你會把我嚇跑。』

他悶住了。眞的，他不瞭解她。不瞭解她可以柔情的抱著他的頭，哭泣著親吻他。然後又忽然拒人於千里之外。甚至，和別的男孩約會著，甚至，對別的男孩好奇著。甚至——虛榮的去故意吸引其他異性的注意。是的，她常常是這樣的，即使走在他身邊，如果有男孩對她吹口哨，她依舊會得意的抬高下巴，笑容滿面，給對方一個半推半拒的青睞。這會使他非常生氣，她卻大笑著說：

『哇！眞喜歡看你吃醋的樣子！你知不知道，你是我交過的男朋友裏，最會吃醋的一個！』

『交過的男朋友？妳一共交過多少男朋友？』他忍不住衝口而出。

她斜睨著他，不笑了。半晌，才說：

『我有沒有問你交過多少女朋友？等有一天，我問你的時候，你就可以問我了。』她停了停，看到他臉上那受傷的表情，她就輕輕的嘆氣了，輕輕的蹙眉了，輕輕的說了一句：『我不是個很好的女孩，我任性、自私、虛榮，而易變……或者，你應該……』

『停！』他立刻喊。恐慌而驚懼的凝視她。不是爲她恐慌，而是爲自己。怎麼陷進去的呢？怎麼這樣執著起來，又這樣認眞起來了呢？怎樣把自己放在這麼一個可悲的、被動的地位呢？怎麼會像徐業平說的，連男子氣概都沒有了呢？他瞪著她。但，接觸到她那對坦蕩蕩的眸子時，他長嘆了一聲。如果她命定要他受苦；那麼，受苦吧！他死也不悔，認識她，死也不悔。

然後，有一天，她忽然一陣風似的捲進他的小屋裏，臉色蒼白，眼睛紅腫，顯而易見是哭過了。她拉住他的手，不由分說的往屋外拉去，嚷著說：

『陪我去看海！陪我去看海！』

『現在嗎？天氣很冷呢！』

『不管！』她任性的搖頭。『陪我去看海！』

『好！』不再追問任何一句話，他抓了件厚夾克，爲她拿了條羊毛圍巾。『走吧！』

他們去了野柳。

冬天的野柳，說有多冷就有多冷，風吹在身上，像利刃般刺著皮膚。可是，她却高興的笑起來了，在岩石上跑著，孩子般雀躍著，一任海風飛揚起她的長髮和圍巾，一任沙子打傷了她的皮膚，一任冬天凍僵了她的手腳。她在每塊岩石上跑，跳，然後偎進他懷裏，像小鳥般依偎著他。用雙手緊緊抱住他的腰，把面頰久久的埋在他的胸懷裏。他摟著她，因她的喜悅而喜悅，因她的哀愁而哀愁。他只是緊摟著她，既不問她什麼，也不說什麼。

好久之後，她把面孔從他懷中仰起來，她滿面淚痕，用濕漉漉的眼珠瞅著他。

他掏出手帕，細心的拭去她的淚痕。

她轉開頭，去看著大海。那海遼闊無邊，天水相接之處，是一片混混濛濛，冬季的海邊，由於天氣陰冷，藍灰色的天空接著藍灰色的海水，分不出那兒是天空，那兒是海水。

他挽著她，走到一塊大岩石底下，那岩石正好擋住了風，却擋不住他們對海的視線。他用圍巾把她緊緊裹住，再脫下自己的夾克包住她，徒勞的想弄熱她那冷冷的手，徒勞的想讓那蒼白的面頰有些紅潤，徒勞的想弄乾她那始終濕漉漉的眼睛。可是，他不想問為什麼，他知道她最不喜歡他問『為什麼？』

『哦！』好半天，她透出一口氣來，注視著海面，開了口。『你知道，我每次心裏有什麼不痛快，我就想來看海。你看，海那麼寬闊，那麼無邊無際。我一看到海，就覺得自己好渺小，太渺小太渺小了。那麼，發生在我這麼渺小的一個人身上的事，就更微不足道了。是不是？』她仰頭看他，熱烈的問：『是不是？是不是？』

他盯著她，用手指輕撫她那小小翹翹的鼻子，那尖尖的下巴，那濕潤的面頰。

『不是。』他低語。

『不是？』她揚起眉毛。

『不是！』

『為什麼不是？』

『海不管有多大，它是每一個人的海，全世界，不論是誰，都可以擁有海，愛它，觸摸它，接近它。而妳不是的，妳對我而言，一直大過海，妳是宇宙，是永恆，是一切的一切。』

她瞅著他，眼眶又濕了，他再用手帕去拭乾它。

『別管我！』她笑著說：『我很愛哭，常常就為了想哭而哭！』

『那麼，』他一本正經的。『哭吧！好好的哭一場！儘管哭！』

『不。』她笑著搖搖頭。『你說得那麼好聽，聽這種句子的女人不該哭，該笑，是不是？』她笑著，淚水又沿著眼角滾下。她把臉孔深深的埋進他懷中，低喊著說：『韓靑！你這個傻瓜！全世界那麼多可愛的女孩，你怎麼會選上我這個又愛哭又愛笑又神經兮兮的女孩子，你怎麼那麼傻！

你怎麼傻得讓我會心痛呢！我的胃已經夠不好了，你又來讓我的心也不得安寧。』

他鼻中酸楚，心中甜蜜，而眼中……唉，都怪海邊的沙子。他用下巴摩擦她的頭髮，低語了一句：

『對不起。』

她驀然從他懷中抬起頭來了。她的眼光直直的對著他。坦白、眞切，而溫柔的說：

『今天早上，我和那個海洋學院的男孩子正式分手了。我坦白的告訴了他，我心裏有了另一個人，我怕，我的心臟好小好小，容納不下兩個人。』

他瞪著她，血液一下子就沸騰般滿身奔竄起來，天地一刹那間就變得光彩奪目起來，海風一瞬間就變得溫柔暖和起來，而那海浪撲打岩石的聲音，是世界上最最美妙的音樂。他俯下頭去，虔誠而熱烈的吻住她。這次，他肯定，她和他終於走入同一境界，那忘我的、飄然的境界。

那天晚上，他寫了一張短箋給她：

我是我，因爲我生下來就是我，

妳是妳，因爲妳生下來就是妳，
但如果我因爲妳而有了我，
妳因爲我而有了妳，
那麼，我便不是我，
妳便不是妳，
因爲，我心中有妳，
妳心中有我。

或者，元朝的管夫人泉下有知，也會覺得這些句子比『你泥中有我，我泥中有你』或『把咱兩個，都來打破』來得更含蓄而深刻吧！

7

就像『去看海』一樣突然，袁嘉珮有天堅持要他去見她的一位國文老師——趙培。

趙培大約已經七十歲了，滿頭白髮蒼蒼，滿額皺紋累累，但卻恂恂儒雅！談吐非常高雅，充滿了智慧，充滿了文學，充滿了人生的閱歷和經驗，韓青一看到他，幾乎就崇拜上他了。

在趙家，他們度過了一個非常奇怪的晚上。趙師母和趙培大約差不多大，却沒趙培那種滿足的氣質。她年輕時一定是個美人，因爲，即使現在，她仍然有非常光滑的皮膚，和一雙迷濛濛的眸子。她用羨慕的眼光看着韓青和袁嘉珮，堅持留他們吃晚餐。於是，袁嘉珮也下了廚房。這是第一次，韓青知道鴕鴕能燒一手好菜，她炒了道酸菜魷魚，又炒了道螞蟻上樹。趙師母煮了一鍋餃子。菜端出來，鮀鮀用驕傲的眼光看他，說：

『我故意想露一手給你瞧瞧呢，菜是我炒的！』

他嚐了嚐魷魚，故意說：

『太鹹了！』

說完，他就開始不停筷子的吃魷魚，吃螞蟻上樹。趙培笑吟吟的看著他們兩個，眼光好溫和好慈祥。趙師母好奇的問了一句：

『你們什麼時候認識的呀？』

趙培笑著說：

『他們在應該認識的時候認識了！』

師母說：

『你們在什麼場合認識的呀？』

趙培說：

『他們在應該認識的場合裏認識了！』

噢！好一個風趣幽默善解人意的老人呀！韓青的心歡樂著，喜悅著。也忽然瞭解鮀鮀爲什麼會帶他來這兒了。她正把他引進她的精神世界裏去呢！他那麼高興起來，整餐飯中間，他和趙培談文學，談人生，甚至談哲學。談著，談著，他發現鮀鮀不見了。他四處找尋，趙培站了起來，往前引路說：

『她去探望太師母去了。』

『太師母？』他愕然的。

『我的母親。』趙培說：『已經九十幾歲了，最近十幾年來，一直癱瘓在床上，靠醫藥和醫生在維持著。來，你也來看看她吧！她很喜歡年輕人，只是，記憶已經模糊了，她弄不清誰是誰了。』

韓青跟著趙培走進一間臥房，立刻，他看到了鮀鮀，鮀鮀和一個老得不能再老的老人。那老太太躺在床上，頭頂幾乎全禿光了，只剩幾根銀絲。臉上的皺紋重重疊疊的堆積著，以至於眉眼都不大能分出來了。嘴裏已沒有一顆牙齒，嘴唇癟癟的往裏凹著。她躺在那兒，又瘦又小，乾枯得只剩下一堆骨骼了。但是，她那瘦小的手指正握著鮀鮀那溫軟的手呢！她那虛眯的眼睛也還綻放著光彩呢！她正在對鮀鮀說話，口齒幾乎完全聽不清楚，只是一片咿咿唔唔聲。可是，鮀鮀卻熱心的點著頭，大聲的說：

『是啊！奶奶！我知道啦！奶奶！我懂啊，奶奶！我會聽話的，奶奶！……』

趙培轉頭向韓青解釋：

『她每次看到嘉珮，就以爲是看到了我女兒，其實，我女兒淪陷在大陸沒出來，如果出來的話，今年也快五十歲了，她印象裏的孫女兒，却一直停留在十幾歲。』

韓青走到老太太床前，鮀鮀又熱心的把老太太的手放在韓青手上。那老太太轉眼看到韓青了，那枯瘦的手指弱弱的握著他，似乎生命力也就只剩下這樣弱弱的一點力量了。她嘰哩咕嚕的說了句什麼，韓青完全聽不懂。趙培充當了翻譯：

『她說要你好好照顧蘭蘭——她指的是嘉珮。蘭蘭是我女兒的小名。她懂得——她懂得人與人間的感情，她也看得出來。』

韓青很感動，說不出來的感動。看到那老太太掙扎在生命的末端，猶記掛著兒孫的幸福，他在那一刹那間體會的『愛』字，比他一生裏體會的還强烈。

從老太太的臥室裏出來，師母正端著杯熱騰騰的茶，坐在客廳裏發呆。看到袁嘉珮，師母長長的嘆了口氣：

『年輕眞好！』

韓青怔了怔，突然在師母臉上又看到那份羨慕，那份對年華已逝的哀悼，那份對過去時光的懷念。他想起屋裏躺著的那副『形骸』，看著眼前這追悼著青春的女人。不知怎的，他突然好同情好同情趙培，他怎能在這樣兩個女人中生活？而且，他突然對『時間』的定義覺得那麼困惑，是臥室裏的太師母『老』？還是客廳裏的師母『老』？他望著師母，衝口而出的說了句：

『師母，時間對每個人都一樣，您也曾年輕過。』

師母深刻的看了他一眼。

『是啊！』她說：『可惜抓不回來了！』

『爲什麼總想去抓過去呢？』趙培的手安詳的落在妻子的肩上。『過去是不會回來的。但是，妳永遠比妳明天年輕一天，永遠永遠。所以，妳該很快樂，爲今天快樂！』

韓青若有所悟，若有所得，若有所獲。

離開了趙家，他和鮀鮀走在涼涼的街頭，兩人緊緊的握著手，緊緊的依偎著，緊緊的感覺著對方的存在，緊緊的作心靈的契合與交流。

『鮀鮀，』他說：『妳是世界上最好的女孩。』

她偎緊他，不說話。

『鮀鮀，』他再說：『世界上不可能有人比我更愛妳了，因爲不可能有人比我更瞭解妳，今天一個晚上，我看到了好多個層面的妳，不論是那個層面，都讓我欣賞，都讓我折服。』

她更緊的依偎著他，還是不說話。

『鮀鮀，』他繼續說，他變得多想說話啊。『我有我的過去，妳有妳的過去，從此，我們都不要去看過去。我們有現在。哦！最眞實的一刻就是現在！然後我們還有未來，那麼長久美好的未來。鮀鮀，讓我們一起去走這條路吧，不管是艱辛的還是甜蜜的，重要的是我們要一起走！然後，等我們也白髮如霜的時候，我們不會去羨慕年輕人，因爲我們有回憶，有共同的回憶。我們會在共同的回憶裏得到最高的滿足。』

她抬眼看他了。

『只是，』她細聲細氣的說：『我不想活得那麼老。』

『什麼？』他沒聽懂。

『我不要像太師母那樣老！』她說，頭靠在他肩上，髮絲輕拂著他的面頰。『我不要像一個人乾一樣躺在那兒等死，我也不要成爲兒女的負擔，尤其，不想只剩我一個人……』

『嗯，這樣吧！』他豪爽的說：『妳比我小兩歲！』

『是。』

『我活到八十二，妳活到八十，行不行？』

『行！』

『那麼，一言爲定！』他伸出手去。『我們握手講定了，誰都別反悔！』

她伸出手來，正要跟他握手，忽然覺得有些不對，這樣一握下去，豈不是就『許下終身』了嗎？她慌忙縮回手來，笑著跑開去，一面跑，一面說：

『你這人有些壞心眼，險些兒上了你的當！』

『怎麼？』他追過去，抓住她。『還不準備跟我共度終生嗎？』他眼睛閃著光，咄咄逼人的。

『你又來了！』她嘆氣。『我說過，你不能逼我太緊，否則我會怕你，然後我就會逃開！』

『我還有那些地方讓妳不滿意呢？』

『不是你，是我。』

『妳還沒有準備安定下來？』

『是。』

他挽緊她，緊緊緊緊的挽緊她。

『眞的？』他盯著她。

『眞的！』

他捧住她的臉，想在街道的陰影中吻她。她重重用力一推，逃開了，他追過去，發現她正彎著腰笑著，很樂的樣子。他想發脾氣，但是，你怎能對一張笑著的臉發脾氣呢？噢，鮀鮀，妳是我命裏的剋星！他想：妳非把我磨成粉，磨成灰，要不然，妳是不會滿足的。

靠在一根路燈上，他長長的嘆了口氣。

她悄悄走近，把她暖暖的手伸進他手裏。

『我只同意——』她一本正經的說：『你活到八十，我活到七十八。』

噢！鮀鮀！我心愛的心愛的心愛的小人兒！他心中呼喚著，狂歡著，一下子把她整個人都擁入懷中。

8

然後，就是一連串幸福、甜蜜、溫柔、快樂、狂歡……的日子。如果說生活裏還有什麼欠缺，還有什麼美中不足，那就是經濟帶來的壓力了。

韓青自從唸大學，屏東家裏就每個月寄給他兩千元做爲生活費，房租去掉了九百元，剩下的一千一百元要管吃、穿、學費、看電影、買書、車費，再加上交女朋友，是怎麼樣也不夠的。所以，在認識鴕鴕以前，他總利用任何假期，和晚上的時間出去打工賺錢。他做過很多很苦的工作，包括去塑膠工廠做聖誕樹，去廣告公司畫看板，甚至，去地下的下水道漆油漆——一種防止下水道被腐蝕的工作。還去過食品加工廠當打撈工，浸在酸液中打撈酸梅，把皮膚全泡成紅腫而皺摺的。至於各種臨時工，例如半夜挖電纜、修馬路、送貨品……他幾乎全做過。但是，鮀鮀來了，鮀鮀佔據了他所有課後的時間，甚至佔據了他的心靈，他很少再去當臨時工了，隨之而來的，是生活的拮据。

不能跟家裏要錢的，家裏已經夠苦了。

不能跟徐業平借的，徐業平的父親是公務員，家裏也夠苦了。他是泥菩薩過江，自身難保呢！

吳天威，吳天威也不見得夠用！

爲什麼大家都鬧窮呢？他就是想不通。但，那時，確實大家都窮得清潔溜溜。

即使是這種窮日子，鮀鮀仍然帶來無窮無盡的歡樂。他們把生活的步驟調整了一下，因爲鮀鮀那麼害怕父母知道她在外面有男朋友，她總說時機未到，韓青還不能在父母前亮相。韓青什麼都聽她的，總之，是要她過得快活呀！所以，每早的互通電話，開始由鮀鮀主動打給他了。小安成了兩人間的橋樑，負責『喊話』。每早通完這個電話，一天的節目才由這電話而開始——決定幾時見面，幾時吃飯，幾時做功課。於是，這電話成爲兩人間非常重要的一件事了。

可是，電話也常出問題的。韓青常想，電話是什麼？線的兩端，繫一個你，繫一個我，於是，你『耳』中有我，我『耳』中有你。哈，想到這兒，他的耳朵就癢起來了，準是妳作怪，鮀鮀。

這天，由於『電話』，韓青在他的日記中寫下這麼一段記錄：

鮀鮀：昨天用最後的十塊錢爲妳買了一把梳子，我還剩三塊錢。

八點醒來，整理房間，等妳電話。

八點二十分，刷牙洗臉，繼續等妳電話。

九點正。喝白開水。

九點三十分。下樓找房東，想借電話，她在洗衣服，不好意思開口。

十點正。她還在洗衣服，不管了，借了電話，鈴響二十二次，無人接聽。

十點零五分。再跑下樓，打電話，無人接。

十點零五分至十點三十分。總共跑下樓十次，都無人接。

十點三十分。打電話給趙老師，也無人接。

十點四十分。焦急，考慮妳是否出了事。

十點四十五分。打電話給徐業平，不在。

十點四十五至十二點。再打電話八次，沒人接。

十二點零五分。打電話給師母，妳沒去過。

十二點十分。打電話給吳天威，告訴他我已三餐沒吃飯（昨晚已經沒錢吃晚飯了），他說要借錢給我，我怕妳打電話來，不敢出去。

十二點三十分。看房東電視，壞了。

十二點四十五分。……一片空白。

一點正。只有一顆著急的心，擔心妳。

一點半。打死一隻小老鼠。

兩點正。還是沒有動靜，沒有一人。

兩點零一分。想妳，想妳。

兩點零二分。喜歡妳，喜歡妳。

兩點零三分。愛妳，愛妳。

兩點零四分。問妳，再問妳，妳在那裏？

兩點零五分。很餓，很怕，擔心妳，擔心妳。

兩點零六分。再打電話，沒人接，鈴響八次。

兩點零七分。算算自己喝了多少白開水。十一杯。

兩點零八分。胃開始痛，頭發昏，還好，就是感覺越來越冷。手握熱開水杯子，好點。

兩點零九分。鮀鮀，妳在那裏？放聲大叫了：鮀鮀，妳在那裏？

兩點十分。燒開水，因爲開水喝完了。

兩點十一分。去向吉他王借錢，想去找妳，吉他王也不在。

兩點十二分。打開窗户，頻頻望馬路，盼望妳就在眼前。

兩點十三分。有一種想大哭的衝動。

兩點十五分。擔心妳的一切，不管妳怎樣，只要妳沒出事，沒生病，什麼都好。

兩點十八分。另一杯好白好白好白的白開水。

兩點二十分。打電話給方克梅。不在。

兩點三十五分——

妳終於打電話來了，什麼？妳家電話壞了！但是妳平安，妳沒事，妳很好，哦，謝謝妳，謝謝妳，鴕鴕。謝謝妳和上帝。

這天，當他們終於在小屋裏見面了，鴕鴕看到了那時間記錄，氣得直跺脚，指著他的鼻子罵：

『天下有你這種傻瓜，餓了好幾頓不吃東西，只爲了我家電話壞了！你眞笨！你眞傻！你眞要氣死我！有我一個人鬧胃病不夠，你也要加入，是不是？』

他凝視她，傻傻的笑著，傻傻的看著她那兩片說話好快好快的嘴唇，然後，他就傻傻的接了一句：

『妳老了的時候，不知道會不會變得很嚕嗦！』

她揚起眉毛，瞪大眼睛，狠狠的摔了摔頭：

『不用等我老，我現在就很嚕嗦！我還要罵呢，我還要說呢，你身上沒錢，爲什麼不告訴我？昨天就沒吃飯，爲什麼不告訴我？還去幫我買那把見鬼的梳子，我告訴你，那不過是一把梳子，我已經有好多好多把梳子了……』

罵著罵著，她的眼圈紅了，她的聲音啞了，於是，他飛快的用唇堵住她的唇。而她却在他又靈魂都飛上了天的當兒，悄悄的把身上僅有的三百多元全塞進他的夾克口袋裏。

這樣的生活，這樣的點點滴滴，窮也罷，苦也罷，什麼都是甜蜜的，什麼都是喜悅的。自從那個海洋學院的陰影去掉以後，韓青幾乎不敢再向上帝苛求什麼了。只要鴕鴕的心裏，僅容他一個！這就是最美好的了，這就是最幸福的了。那時，鴕鴕正在修法文，她教了他第一句法文：

『開門打老鼠。』

『開門打老鼠？』他希奇的。『這是法文？法國人眞怪，開了門打老鼠，老鼠不是都跑掉了？應該關着門打老鼠，我有經驗，關着門打老鼠，牠就逃不掉了！』

鴕鴕笑彎了腰，用法文再發了一次音。

『開門打老鼠——意思就是，你好嗎？』

『嗯，』他哼着。『不知道另外三個字法文怎麼唸？』

『什麼另外三個字？』

『我愛妳。』

鴕鴕紅了臉。她的臉紅讓他如此心動，如此感動，如此震動。他常在她的臉紅、害羞，和他偶爾舉動過於『熱情』的時候，就急急退縮的舉動中，去發現她的純潔。純潔，這是好簡單的兩個字，可是，他深知，在這一代的大學生裏，能維持這份『純潔』的，已經越來越少了。而她，她還是交過好幾個男朋友的！於是，他更珍惜她，他更尊重她，他更愛她。

『你心裏只有這三個字嗎？』她瞪着眼睛問。

『是啊！這是人生最重要的三個字，難道老師沒有教過妳？』

『說實話，』鴕鴕笑着。『是教過的！』

『怎麼說？怎麼說？』他追問着。

『糾旦。』她用法文發音。

『煮蛋？』他問。

她大笑，敲他的頭，敲他的肩膀，敲他的身子。她笑得那麼開心，他就也開心了。以她的歡笑爲歡笑，以她的傷心爲傷心，老天！他已經沒有自我了。他也不要那個自我了，愛的意義是把自我奉獻給她，讓她盡情的歡笑。

『你知道嗎？韓青。』她望着窗玻璃外的一角天空，突然眼光迷濛的、嚮往的、做夢似的說：

『我一生有兩個願望。』

『是什麼?』他問。

『第一個願望,我將來一定要去巴黎,我覺得世界上最羅曼蒂克的城市就是巴黎了。我一定要去!去看凱旋門,香榭大道,然後,坐在路邊的咖啡篷下喝咖啡。』

『好!』他握緊她的手,鄭重的許諾。『這事交給我辦,我一定帶妳去巴黎。去看凱旋門,在香榭大道散步,去咖啡篷下喝咖啡。』

『別忘了,』她叮囑:『還有羅浮宮,還有凡爾賽,還有那著名的拉丁區!』

『是!』他堅決的應着,豪爽極了。『羅浮宮,凡爾賽,拉丁區……我們只好在那兒住上一段時間,慢慢的遊覽,慢慢的欣賞。因爲,妳要去的地方實在太多了。』

『對。』她點頭。『我們不能走馬看花。要深入的去接觸巴黎,唉!』她嘆氣。『那一定是個美透美透的城市,才會出那麼多詩人、藝術家,和文學家!』

『這個願望妳就交給我吧!』他斬釘斷鐵的允諾着。『妳另外一個願望是什麼呢?』

『哦!』她笑了,有點羞澀。『我想寫一本書。』

『寫一本書?』他驚奇的看她。『我從不知道,妳想當一個作家。』

『並不是當作家，只是寫一本書。』她臉頰紅紅的。

『寫什麼呢？』他問。

『寫——木棉花吧！』

『木棉花？』他不解的：『爲什麼是木棉花？』

『這只是一種象徵。』她困難的解釋。『每次，我看到木棉樹開花就很感動，木棉樹又高又挺，它先開花後長葉子，和別的植物都不一樣。那些花紅極了，鮮極了，艷極了，盛開在又高又粗的枯枝上，顯得特別孤高，特別雅致，特別高不可攀。而又特別——有生命力。』

『有生命力？』他問，試着走入她的境界。

『是啊！人們很容易看到一顆種子發芽，就聯想到生命力，看到小生命的誕生，就聯想到生命力……我呢，我看到木棉花，就聯想到生命力。那種火焰似的紅，綻開在光禿的、雄偉的樹枝上。哦……』她深吸口氣：『我說不出來，總之，它讓我感動，讓我好感動好感動！因爲它不是柔弱的花，因爲它不是小草花，因爲它不屬於盆景，因爲它孤高，傲世，而與衆不同！我欣賞它！我就是那麼那麼欣賞它！』

『好。』他盯着她看。『我同意。世界上最美麗的花就是木棉花。可是，這本書裏妳要寫些什麼呢？』

她羞澀的笑着，年輕的面龐上是一片天眞與無邪。

『說眞的，不知道。等過些年，讓我把人生體會得更深刻的時候，我才知道我眞正要寫什麼。』她坦白的說：『我想，寫生命吧！生命中的愛力，生命中的傲氣，生命中的孤獨……』

『孤獨嗎？』他打斷她。

『是啊，木棉花是很孤獨的，它高高在上，沒有別的花朵可以和它並駕齊驅，它是很孤獨的。生命本身，有時候也是很孤獨的！』

他深深的看着她，深深的，深深的。

『鮀鮀，』他沉聲說：『我也曾經體會過生命的孤獨，不止孤獨，還有無奈。可是，妳來了，生命再也不孤獨，只有——幸福。如果兩個人彼此擁有的話，生命絕不孤獨，只有幸福，只有幸福，只有幸福。』

他强調着『幸福』，因爲它正充塞在他整個胸懷裏，拿起一支筆來，他說：

『讓我寫給妳看，什麼叫幸福！』

於是，他飛快的寫着：

『妳來了，我有了一切，
我來了，妳有了一切，
一切的一切就是妳我。
妳的一切就是我的一切，
我的一切就是妳的一切。
我的，妳的，一切，一切，是我倆的一切。』

她看着，讀着。抬頭看他，她喜悅的抱住他，跳着，轉着，開心的嚷着：

『我的，你的，一切，一切，是我倆的一切！我倆的巴黎！我倆的木棉花！』

9

春天，在幸福中過去了。

夏天，又在幸福中來臨了。

暑假快到的時候，韓青收到屏東的家書，要他回家看看兩老。他忽然想起一件大事，他居然沒有一張鮀鮀的照片，他必須要說服鮀鮀，去照一張正式的照片，拿回家去炫耀一下。可是，當他跟她說的時候，她幾乎把她那顆小腦袋從脖子上搖得快掉下來了。她說：

『不行！不行！我生平最怕照相！何況照了給你拿回家去，我才不幹呢！我又不是你的什麼人……』

他用手一把蒙住她的嘴。

『最怕聽妳來這一套！』他說。『跟我照相很恐怖嗎？我又不是猩猩！』

『我寧可跟猩猩照相，不跟你照！』

『哦？』他傻傻的瞪大眼睛。

『因爲猩猩不會拿着我的照片去給牠的父母看！』

『好，我答應妳，我也不拿給我父母看，只要妳跟我去照張相！』

『不要，我好醜！』

『胡說，妳是世界上最美的！』

『不要！』

『要！』

『不要！』

『要！』

『不要！』

事情僵持不下，最後，他提議，以擲銅板來決定。她勉强同意了。拿了個壹圓的輔幣，她猜是梅花面，他猜是『壹圓』面。銅板丟上去，落下來。哈，居然是『壹圓』的那面，他樂壞了，拖着她就往照相館走。她無可奈何，也就半推半就的照了那麼張『合照』。照片洗出來，他一臉傻傻的笑，她也一臉傻傻的笑。他還得意呢！居然誇口的說：

『妳看過什麼叫金童玉女嗎？這就是金童玉女！』

眞不害羞啊，她搶着想去撕那張照片，他當寶貝似的抱着照片跑。拿他沒辦法啊，她認了。

只是，好久以後，她還會想起這件事來，狐疑的問他一句：

『那個銅板是不是變魔術的道具銅板？會不會兩面都刻着「壹圓」？』

他大笑。

『可能吧！』他說。

『眞的？眞的？』她追着問：『我看你這人有點不老實，我八成上了你的當！』

唉！鮀鮀，我會讓妳上當嗎？總有一天，我們還會去合照更多的照片，那時，妳將披上白紗，當我的新娘。他瞅着她，心裏的話，嘴裏並沒有說出來。只為了，認識了這麼久，已相遇，既相知，復相愛，又相憐……而那『婚姻』兩字，仍然是兩人間的絆脚石。他可以瞭解她好多好多方面，獨獨不瞭解她對『婚姻』的抗拒感。正像她說的，如果他逼得太緊，她會逃開。正像徐業平說的，未來是虛無縹緲，漫漫長長的路。哦，鴕鴕，他心裏低呼，難道我還不夠愛妳，不夠資格伴妳走過以後的漫漫長路?難道妳還不能信賴妳自己，信賴妳自己的選擇!還是……妳認為在妳以後的生涯中，會遇到比我更強更好的人?不不!這最後一個問題要從心底劃掉，徹徹底底劃掉!他劃掉了，只是，心底的底版上，仍然留下一條劃過的刻痕，雖然淡淡的，却也帶來隱隱的傷痛。

那年暑假，他回家去只住了二十天，就匆匆北返了。實在太想她了，太想太想了。生平第一次，嚐到相思滋味，原來如此苦澀、無奈，躲不掉，也拋不開。他錄過一張不知那兒看到的小箋給她：

『鴕鴕：

我不想想妳，

但心思一動，

我就想起了妳。

我不想夢見妳，
但眼睛一閉，
我就夢見了妳。
我不想談論妳，
但嘴一張，
我就又說起了妳。

——青』

和他的信比起來，她的來信卻瀟灑得太多太多了。那時，她正參加暑期在萬里的夏令營，來信瀟灑得近乎活潑，瀟灑得俏皮，也瀟灑得連一丁點兒『脂粉味』都沒有：

『青：

當你接到這封信時，該是一早起來時，那時你正穿着一雙拖鞋，（瞧，左右脚都穿錯了！人家才剛起來嘛！）一副睡眼朦朧的樣子，走向前廳，打算好好看個夠「中國時報」上的武俠小說。心中正在想着想着，沒想到郵差先生「唰」的一聲，一招漂亮的「飛雲貫日」迎頭劈了下來，正待伸手接下這一招，已是不及。一時只見一白色的銀鏢迎頭砸了下來，三字經正待出口，摸摸那練過鐵頭功的腦袋安然無恙，也就作罷。低頭一看，不是什麼，原來正是萬里鏢局的掌門人袁長風派遣的綠衣使者，送來的鏢書……

好了，姑娘的幻想曲就此打住，要不然，我也可以寫一本「殘月．蜻蜓．刀」之類的小說了。

此祝

安好

鮀鮀　七、廿六於萬里海濱』

多麼可愛的一封信！多麼活潑的一封信！多麼生動的一封信。但是，信中就少了那麼一點點東西，一點點可以讓他感覺出她的思念的東西。沒有。就缺那樣。他把信左看一次，右看一次，就少那麼點東西。萬里海濱！那兒有許多大專學生，正在做夏季活動。想必，他的鮀鮀是最活躍的，想必，他的鮀鮀是最受歡迎的！他注視着桌上已放大的那張合照，鮀鮀巧笑嫣然，明眸皓齒，神采飛揚而婉約動人。他有什麼把握說鮀鮀不會改變？他有什麼把握說鮀鮀不會被成羣的追求者動搖？

屏東的家是再也待不下去了。母親蒼老的臉，父親關懷的注視，弟妹們的笑語呢喃……全抵不住台北的一個名字。鮀鮀，我好想妳，縱使我本就在想妳。鮀鮀，我好愛妳，縱使我已如此的愛妳。

回到台北，第一件事就是打電話給鮀鮀。不在家，出去了。看看手錶，晚上八點鐘。萬里的夏令營也已結束。出去了？去那兒？第二個電話打給方克梅。

『哦？你回來了？』方克梅的語氣好驚訝。『這樣吧，我正要去徐業平家，你也來吧，見面再談！』

有什麼不對了？他的心忽然就沉進了海底。好深好深的海底，老半天都浮不起來。然後，沒有耽誤一分鐘，他直奔徐業平家，他們家住在台北的中興大學後面，是公教人員的眷屬宿舍裏。

一走進徐家，就聽到徐業偉在發瘋般的敲着他的手鼓。這人似乎永遠有用不完的活力。徐家父母都出去了，怪不得方克梅會來徐家，不止方克梅來了，小丁香也在。徐業平摟着方克梅，正在大唱着：

『我的心上人，請你不要走，
聽那鼓聲好節奏……』

『咚咚咚！嘭嘭嘭嘭嘭！』徐業偉的鼓聲立刻伴奏。

韓青的心臟也在那兒『咚咚咚，嘭嘭嘭』的亂敲着，敲得可沒有徐業偉的鼓聲好，敲得一點節奏感都沒有。他進去拉住了徐業平，還沒說話，徐業平就笑嘻嘻的遞給他一瓶冰啤酒，說：

『今朝有酒今朝醉，喝啊！』

『喝啊！』徐業偉也喊，敲着鼓。咚咚咚咚咚！

『袁嘉珮呢？』他握着瓶子，劈頭就問。瞪視着徐業平。

『你沒有把她交給我保管呀！』徐業平仍然笑着。『即使交給我保管，我也管不着！』

『徐業平！』他正色喊。

『小方，妳跟他說去！』徐業平推着方克梅。『跟這個認死扣的傻瓜說去！』

『到底怎麼回事？』他大聲問，徐業偉的鼓聲把他的頭都快敲昏了。

『韓青，你別急。』方克梅走了過來，溫柔的望着他。『只是老故事而已。』

『什麼老故事？』他的額上冒着汗，太熱了。他覺得背脊上的襯衫都濕透了。

『一個男孩子。』方克梅細聲說：『他們在萬里認得的，不過才認識十幾天而已。袁嘉珮給他取了個外號，叫他娃娃。因爲那男孩很愛笑，很愛鬧，一張娃娃臉。袁嘉珮欣賞他的洒脫，說他亂幽默的。你知道袁嘉珮，只要誰有那麼一丁點跟她類似的地方，她就會一下子迷糊起來，把對方欣賞得半死！她就是這樣的！』

他握着瓶啤酒，頓時雙腿都軟了，踉蹌着衝出那間燠熱無比的小屋，他跌坐在屋前的台階上。一個人坐在那兒，動也不動。

半晌，他覺得有隻溫柔的小手搭在他肩上，他回頭看，是丁香。她送上來一支點燃了的烟，一直把烟塞進他嘴裏，她低頭看着他說：

『徐業偉要我告訴你，你一定會贏！』

他瞪着丁香，一時間，不太懂得她的意思。

『看過奪標沒有？』丁香笑著，甜甜的，柔柔的，細膩而女性的、早熟的女孩。『徐業偉說，人家起跑已經比你慢了一步了，除非你放棄，要不然，跑下去呀！還沒到終點線呢！』

他凝視丁香，再回頭望向屋內，徐業偉咧着張大嘴對他笑，瘋狂的拍着他的手鼓；嘭嘭，嘭嘭嘭！

10

『鴕鴕，讓我告訴妳一個我小時候的故事。』韓青說，靜靜的坐在海邊的一塊岩石上。『看海』原是鴕鴕在情緒不穩定時的習慣，不知何時，這習慣也傳染給韓青了。兩個人如果太接近，不止習慣會變得相同，有時連相貌都會變得有幾分相似的。

鴕鴕坐在他身邊，被動的把下巴放在膝上。她不說話，也不動，只是凝視着那遙遠的、無邊無際的海。夏天的海好藍好藍，天也好藍好藍，那一望無際的藍，似乎伸到了無窮盡的宇宙的邊緣。平時，她愛鬧愛笑愛哭，在海邊，她總是最『情緒化』的時候。而今天，她很安靜，從他的匆匆北返，從他約她出來『看海』，她知道，什麼事都瞞不住他，而她，也並不想隱瞞任何事。方克梅說過一句話，妳可以交無數的男朋友，但是妳只能嫁一個。她不想告訴韓青，她才只有二十歲，她還不想安定下來，她也不敢相信自己會安定下來。

『鴕鴕，』他繼續說，眼光根本不看她，只是看着海，他的聲音低沉而清晰的吐出來。『我很少跟妳談我的家庭，我的過去，只因爲妳不太想聽，妳總說，妳要的是現在的我，不是過去的我。但是，鴕鴕，每一個現在的我都是由過去堆積起來的，不但我是，妳也是的。』

她用手指繞着一綹頭髮，繞了又鬆開，鬆開又繞起來，她只是反覆的做這動作。

『讓我講我小時的故事給妳聽吧。我小時候家裏好窮好窮，現在我們家雖然開了個小商店，那時候我們連商店都沒有。我父親去給人家採檳榔，妳不知道採檳榔是多麼苦，多麼沒前途的工作。我父親並不是個天生採檳榔的人，他也有野心，也有抱負。但是，他的命運一直不好，做什麼都不成功。他的人是很好的，對子女，對家庭，他也肯負責任，但，當他情緒不好的時候，他會拚命喝酒，然後在爛醉中狂歌當哭。

『那年，我生病了，大概只有四、五歲吧，我病得非常重，幾乎快死了。全家瘋狂的籌了錢，給我看醫生，給我治病，我爸爸負債累累，只爲了想救我這條小命。那麼多年以前，醫生開出來的藥，居然要九塊錢一粒，我一天要吃十幾粒，妳可以想像每天要花多少錢了。那些藥像珍珠一樣名貴的捧到我面前來，而我實在太小了，我吃藥吃怕了，於是，有一天，我把藥全吐出來，吐到陰溝裏去了。

『妳不知道，那時我父親快要氣瘋了，他喝掉了兩瓶米酒，把自己灌醉了，然後他把我從床上拎起來，摔在地下，用那穿了厚木屐的脚踢我，他不斷的踢我，哭罵着說，如果把全家拖垮了大家死，不如踢死我算了。當時，他那麼瘋狂，我瘦瘦小小的母親根本阻止不了他，全家嚇得都哭了，而我，也幾乎快被他踢死了。

『就在這時候，住在我們家對面的一個老婆婆趕來了，她拚了命把我從父親的拳打脚踢下救了出來，把我抱到她家裏去了。說也奇怪，大概因爲我出了一身汗，大概因爲哭喊使我有了發洩，我的病居然就這樣好了。從此，這個老婆婆就常對我說，我的命是她救下來的。

『那個老婆婆，她一生沒唸過書，只是個鄉下普普通通的老人。後來，她那兒却成爲我生命中的避風港。每當我病了，每當我受到挫折，每當我意志消沉的時候，父母不能瞭解我，老婆婆却能夠。有一次，我考壞了，被當掉一年，這對我是很重的打擊，那年我已經十五、六歲了，我很傷心，很痛苦，我到老婆婆那兒去。

『老婆婆已經好老好老了，我不怕在她面前掉眼淚。她却笑着對我說：阿青，你看看痲雀是怎麼飛的？我眞的跑出去看痲雀，我是鄉下長大的孩子，却從不知道痲雀是怎麼飛的。看着痲雀，我還是不懂，老婆婆站在我身邊，指着痲雀說：

『「牠們是一起一伏這樣飛的，牠們不能一下子衝好高，也不能永遠維持同一個高度，牠們一定要飛高飛低，飛高飛低，這樣，牠們才能飛得好遠好遠。」

『老婆婆拍着我的肩膀，笑着說：

『「不要哭呀，你不過剛好在飛高之前降低下去，要飛得遠，總是有高有低的。」』

韓青停了下來，他的眼光仍然停留在海天深處。半晌，他燃起一支烟，輕輕的抽了一口，輕輕的吐出了烟霧。輕輕的再說下去：

『我的一生，受這個老婆婆的影響又深又大。以後，每當我在人生的路上跌倒時，每當我遇到挫折時，我就想起老婆婆的話；要飛得遠，就要有起有伏。那老婆婆，沒受過教育，只以她對人生的閱歷，對自然界的觀察，居然把人生看得如此透徹。我考大學失敗，我到處找工作碰壁，我都沒有看得很嚴重，我自認一定會再飛高，挫折，只是我人生必經的路程。

『三年前，老婆婆去世了。她去得很安詳，我去送殯，所有親友裏，我想我對她的感情最特殊。但是，自始至終，我沒有掉過一滴眼淚。因爲，我想，如果她能跟我說話的話，她一定會說：阿青哪，你看到樹上的葉子，由發芽到青翠，到枯黃，到落葉嗎？所有生命都是這樣的。』

韓青噴出一口烟霧，海風吹過，烟霧散了。他終於回過頭來，正視着身邊的鴕鴕。

『鴕鴕，這就是我的一個小故事，我要告訴妳的一個小故事。』

她睜大眼睛看着他，有點迷糊。

『爲什麼告訴我這個故事？』她問。

他伸手溫柔的撫摸着她那細細柔柔的頭髮。

『人生的路和感情的路常常合併爲同一條路線，正像小川之滙聚於大河。我不敢要求永遠飛在最高點，我只祈求飛得穩，飛得長，飛得遠。』

她盯住他，盯住他那深沉的雙眸，盯住他那自負的嘴角，盯住他那堅定的面龐……忽然間，她的胸中就湧起一陣愧疚，眼眶就熱熱的發起燒來，她張開嘴，勉強想說什麼，他却用手指輕輕按在她唇上，認眞的說：

『我不要妳有任何負担，我不要妳有任何承諾，更不要妳有任何犧牲。這次，我想了很久很久，有關妳和我的問題。從我剛剛告訴妳的故事裏，妳可能才第一次知道我眞正的出身家世。像我這樣一個苦孩子，能夠奮鬥到今天，能夠去瘋狂的吸收知識，並不容易。所以，我很自負。所以，我曾經告訴過妳，培養了二十年，我才培養出一個自負，我怎能放棄它？現在，妳來了，介入了我的生活，並且主宰了我的生命和意志，這對我幾乎是件不可能發生的事，而它居然發生了！』

『韓青！』她低呼着，想開口說什麼。

『噓！』他輕噓着，把手指繼續壓在她唇上。『徐業平說，我們的未來都太渺茫了。我終於承認了這句話，誰也不知道我們的未來是怎樣的。我們這一代的男孩子很悲哀，唸書，不見得考進自己喜歡的科系，畢業後，立刻要服兩年兵役，在這兩年裏，雖然鍛鍊了體格，可能也磨損了青春。然後，又不見得能夠找到適合的工作……未來，確實很渺茫。』

『韓青！』她再喊。

『別說！等我說完！』他阻止她。『自從我和妳認識相愛，我一直犯一個錯誤，我總想要妳答應我，永永遠遠和我在一起！我一直要獨佔妳心靈的領域，而要求妳不再去注意別人！現在，我知道我錯了。』他眼光溫柔而熱烈，誠懇而真切。『美好如妳，鴕鴕，可愛如妳，鴕鴕，喜歡妳的人一定很多很多。不斷有新的人來追求妳，是件必然的事。妳能如此吸引我，當然也能如此吸引別的異性，我不能用這件事來責備妳，不能責備妳太可愛太美好，是不是？』

她用哀求的眼光望著他，眼裏已蓄滿了淚了。

『同時，我該對我的自負作一番檢討。哦，鴕鴕，我絕不會是一個完人，我也不是每個細胞都能迎合妳的人，所以，要强迫妳的意志和心靈，只許容納我一個人，大概是太苛求了。記得冬天的時候，我們第一次來看海，那時妳剛離開一個海洋學院的，現在，又有了娃娃！』

『噢！韓靑！』她再喊。『是我不好……』

『不，妳沒有不好！』他正色說，熄滅了烟蒂，用雙手握住她的雙手，一直望進她的眼睛深處去。『妳沒有絲毫的不好，假如妳心靈中有空隙去容納別人，那不是妳不好，是我不好，因爲我無法整個充實妳的心靈。我想了又想，妳，就是這樣一個妳！或者妳一生會愛好多次，因爲總有那麼多男孩包圍妳。我不能再來影響妳的選擇，不能再來左右妳的意志，我說了這麼多，只爲了告訴妳一句話：妳可以大大方方的和娃娃交往，我絕不干涉，絕不過問，只是，我永遠在妳身邊。等妳和別的男孩玩膩了的時候，我還是會在這兒等妳。』

她瞅著他，咬緊嘴唇，淚珠掛在睫毛上，懸然欲墜。

『鴕鴕，』他柔聲低喚著。『明天起，我要去塑膠工廠上班，去做假聖誕樹。妳知道我總是那麼窮，我必須賺出下學期的學費。我昨天去和那個陳老闆談過，我可以加班工作，這樣，我每天上班時間大概是早上八點到晚上十點。我必須利用這個暑假積蓄一筆錢，不止學費，還有下學期的生活費，還有……』他鄭重的：『妳要去看醫生，把那個胃病徹底治好！』

『哦！韓青！』鮀鮀終於站了起來，用力的跺著腳，眼淚奪眶而出。『你總是要把我弄哭的！你明知道我愛哭！你就總是要把我弄哭！你爲什麼不對我壞一點？你爲什麼不跟我吵架？你爲什麼不罵我水性楊花？你爲什麼不吼我叫我責備我……那麼，我就不會這樣有犯罪感，這樣難過了！』

『我不會罵妳，因爲我從不認爲妳錯！』韓青也站起身來，扶著岩壁看著她，坦然而眞誠。『明天起，因爲我要去上班，妳的時間會變得很多很多，我不能從早到晚的陪妳……』

『哦！』她驚懼的低呼。『不要去！韓青，不要去上班，守著我！看著我！』

他悲哀的笑了笑。

『我不能守著妳，看著妳一輩子，是不是？妳也不是我的囚犯，是不是？鮀鮀，一切都看妳自己。妳可以選擇他，我會心痛，不會責備妳；妳可以選擇我，我會狂歡，給妳幸福！』

她用濕潤的眸子看他。嘴唇動了動，欲言又止。他立刻搖搖頭，阻止她說話。

『別說什麼！』他說：『我這幾句話並不是要妳馬上選擇，那太不公平了，該給妳一些時間，也給他一些時間！』他又掉頭去看海面了。『瞧！有隻海鷗！』他忽然說。

她看過去，眞的有隻海鷗，正低低的掠海而過。他極目遠眺，專注的望著那隻海鷗，深思的說：

『原來海鷗飛起來也有起有伏的。原來海浪也有波峯波谷的。所以，山有稜角，地有高低……原來，世界就是這樣造成的！』他轉眼看她，靜靜的微笑起來。『我不氣餒，鴕鴕，我永不氣餒。在我的感情生命裏，我不過剛好是處於低處而已。當我再飛上去的時候，我一定帶著妳一起飛！』

她睜大眼睛，瞅著他，被催眠般怔住了。

11

整個暑假，韓青幾乎是賣命般的工作著，從早到晚，加班又加班，連星期天，他都在塑膠工廠中度過。他的工作十分枯燥，卻十分緊張。他負責把聖誕樹的枝幹——一根根鐵絲浸入高達七百度的塑膠溶液的模子中，而要在準確的二十秒時間內再抽出來，然後再送入新的。機器不停的動，他就不停的做這份既不詩意，更不文學的工作。每當他在做的時候，他就會不自覺的想起卓別林演的默片——摩登時代。那卓別林一直用鉗子轉螺絲釘，轉螺絲釘，最後把女人身上的鈕釦也當成螺絲釘用鉗子轉了下去。塑膠聖誕樹，科學的產物。當它在許多家庭裏，被掛上成串閃亮的燈泡，無數彩色的彩球，和各種繽紛耀眼的飾物時，有幾人想到它的背後，有多少人的血汗！

這段時間，他忙得簡直沒有時間和鴕鴕見面了，通電話都成了奢侈。他眞正想給她一段『自由』的時間，去接觸更多的人羣，而在芸芸衆生中，讓她來做一個最正確的選擇。但，雖然見面的時間很少，他的日記中卻塗滿了她的名字。鴕鴕！思想裏充滿了她的名字，鴕鴕！午夜夢回，他會擁著一窗孤寂，對著窗外的星空，一而再、再而三的輕聲呼喚：

『鴕鴕！鴕鴕！鴕鴕……』

暑假過完，繳完學費，他積蓄了一萬五千元。要帶鴕鴕去看醫生，她堅決拒絕了，一疊連聲的說她很好。雖然，她看起來又瘦了些，又嬌弱了一些，她只是說：

『是夏天的關係，每個夏天我都會瘦！』

僅僅是夏天的關係嗎？還是感情的困擾呢？那個『娃娃』如何了？不敢問，不能問，不想問，不要問。等待吧，麻雀低飛過後，總會高飛的。

然後，有一天，她打電話給他，聲音是哭泣著的：

『告訴你一件事，韓青。』她啜泣著說：『太師母昨天晚上去了。』

『哦！』他一驚，想起躺在床上那副枯瘦的骨骼，那乾癟的嘴，那咿唔的聲音。死亡是在意料之中的，卻仍然帶來了陣忍不住的淒然，尤其聽到鴕鴕的哭聲時。自從那次陪鴕鴕去趙培家之後，他們也經常去趙家了，每次師母都煮餃子給他們吃，並用羨慕的眼光看他們，然後就陷入逝水年華的哀悼中去了。而鴕鴕呢，卻每次都要在太師母床前坐上老半天的。

『噢，鴕鴕，』他喊：『妳現在在什麼地方？』

『我要趕去趙家，』她含淚說：『看看有什麼可幫忙的地方！我還想……見她老人家一面。』

『我來接妳，陪妳一起去！』

於是，他們趕到了趙家。

趙家已經有很多人了，親友、學生、治喪委員會……小小的日式屋子，已擠滿了人。韓青和鴕鴕一去，就知道沒什麼忙可幫了。師母還好，坐在賓客羣中招呼著，大概早就有心理準備，看起來並不怎麼悲傷。趙培的頭髮似乎更白了，眼神更莊重了。看到鴕鴕，他的眼圈紅了，拉住鴕鴕的手，他很瞭解的、很知己的說了句：

『孩子，別哭。她已經走完了她這一生的路！』

鴕鴕差一點『哇』的一聲哭出來，眼淚就那樣撲簌簌的滾落下來了。她走進去，一直走到靈前，她垂下頭來，在那老人面前，低語了一句：

『再見！奶奶！』

趙培的眼裏全是淚水了，韓青的眼裏也全是淚水了。

從趙家出來，他們回到韓青的小屋裏。鴕鴕說：

『韓青，我好想好想大哭一場！』

『哭吧！鴕鴕！』他張開手臂。『妳就在我懷裏好好哭一場吧！』

她眞的投進他懷裏，放聲痛哭起來了，哭得那麼哀傷，好像死去的是她親生奶奶一般。她的淚珠像泉水般湧出又湧出，把他胸前的襯衫完全濕得透透的。她聳動的、小小的肩在他胳膊中顫動。她那柔軟的髮絲沾著淚水，貼在她面頰上……他掏出手帕，她立刻就把手帕也弄得濕透濕透了。他不說一句話，鼻子裏酸酸的，眼睛裏熱熱的，只是用自己的雙臂，牢牢的圈著她，擁著她，護著她。然後，她終於哭夠了，用手帕擦擦眼睛，她抬起那濕濕的睫毛看著他，啞啞的說：

『我忍不住要哭，這是我第一次看到死亡。我眞不能相信，她前兩天還拉著我的手唸叨著，這一刻就去了，永遠去了，再也不會回來了！我不知道死亡是什麼，但是，它是好殘忍好殘忍的東西！它讓我受不了！』

他握住她的手，把她牽到床前去。拉平了被單，疊好了枕頭，他把她扶到床上，勉強她躺下來。因爲她哭得那麼累了，因爲她的臉色那麼蒼白，因爲她那樣嬌嬌嫩嫩，弱不勝衣的樣子。他讓她躺平了，拉了一張椅子，他坐在她的對面，仍然緊握著她的手。

『記得上次在海邊，我告訴妳我家對面那位老婆婆的故事嗎？』他柔聲問。

『是的。』她看著他。

『她也去了。』他低語。『生命就是這樣的！從有生命的那一天，就注定了要死亡。妳不要傷心，眞的，鮀鮀。人活到該去的那一天，就該去了。太師母已經享盡了她的天年，她已經九十幾歲了，不能動，不能玩，不能享受生命，那麼，她還不如死去。這種結束並沒有不好，想想看，是不是？她已經年輕過了，歡樂過了，生兒育女過了，享受過了……什麼該做的，她都做過了，所以，她去了。絕無遺憾。鮀鮀，我跟妳保證，她已經絕無遺憾了。』

『是嗎？』她懷疑的問，淚水漸乾，面頰上又紅潤了。『是嗎？』她再問。

『是的！眞的！妳不是也說過，妳只要活到七十八歲嗎？』

她牽動嘴角，居然微笑起來。老天！那微笑是多麼的動人心弦啊！她深思了一下，顯然接受了他的看法，伸出手來，她緊緊的握著他，閉上眼睛，太多的眼淚已把她弄得筋疲力盡，她低語了一句：

『韓青，你眞好，永遠沒有一個人，能像你這樣瞭解我，體貼我，安慰我！給我安靜，讓我穩定。如果我是條風雨中的小船，你準是那個舵手。』

說完，她就漸漸的、漸漸的進入睡鄉了。她哭得太久，發洩得也夠多了，這一睡，竟沉沉然的睡了三小時。他坐在床前面的椅子裏，因為她始終握著他的手，他不敢動，怕把她驚醒了，也不敢抽出手來，他就這樣坐在那兒，靜靜的、靜靜的瞅了她三小時。

當她一覺醒來，發現屋子裏都黑了，他仍然坐在那兒，連燈都沒有去開，他的手仍然握著她的，他的眼睛仍然凝視著她。她那麼驚奇，從床上翻身坐起，她驚問：

『幾點鐘了？』

他看看手錶。

『快七點了。』

『你一直這樣坐著沒動嗎？』她嚷著：『你三小時都沒動過嗎？』

『是啊！』他欠動身子，手已經痠了，腳已經麻了，腰也快斷了。『我不想吵醒妳！』

『你不想吵醒我？』她瞪大眼睛看他，跳下床來，去開亮了電燈，在燈光下，她再仔細看他，他正揉著那發麻的腿叫哎喲。『你這人……你這人……』她簡直不知該如何措辭。『你這人有點傻裏傻氣！實在有點傻裏傻氣！即使你走開，我也不見得會醒呀！』

『妳好不容易睡著了，我不想冒這個險！』他說，終於從椅子裏好困難的站起來了，用單腳滿屋子跳著，因爲另一隻腳痲了不能碰地。

『我跟妳說實話，』他邊跳邊說：『我坐三小時一點都不累，手痠也沒關係，腳痲也沒關係……只是……我一直想上洗手間，快把我憋死了！』

她用手蒙住嘴，眼睛張得好大好大。而他呢，眞的一跳一跳的跳到洗手間裏去了。等他從洗手間裏出來，她繼續瞪著他，不知怎的，就是想笑。她極力忍著，越要忍，就越想笑，終於，她的手從嘴上落了下來，而且，笑出聲音來了。

他把她攬進懷中，驚嘆的說：

『妳不知道妳笑得有多美！』

她偎進他懷裏，頗有犯罪感似的，悄聲說：

『太師母剛剛去世，我就這樣笑，是不是很不好？』

『爲什麼很不好？』他反問。『我打賭，如果她看得見，她會希望妳笑。』

『你確定嗎？』

『我確定的。』

她仰頭看著他，他們對視了好久好久。然後，她輕輕輕輕的吐出一句話來：

『韓青！沒有那個他了。』

『什麼？』他問，屏息的。

『沒有別人了！』她嚷了出來。『再也不可能有別人了！只有你！只有你！世界上只有你才能對我這麼好，你是唯一的男孩！』

他滿心激動，滿懷虔誠。

俯下頭來，他立刻吻住了她。她的反應强而熱烈，幾乎是用全身心在接受著。然後，她紅著面頰，又悄聲說：

『太師母剛剛去世，我們就這樣忘形，是不是不太好？』

『爲什麼不太好？』他繼續吻她，熱烈熱烈的吻她。『她老人家曾把妳交給我，她要我好好照顧妳，難道妳忘了？如果有什麼事能安慰她老人家的在天之靈，那就是——讓我們倆好好相愛，好好相愛吧！』

她用手臂緊緊圈住了他的脖子，他繼續吻她，一面抬眼望天：謝謝妳，奶奶。他虔誠的祝禱著。請安息吧，奶奶。

12

一九七八年十月二十四日。

韓青一早醒來，就發現門縫裏躺著一個白色信封，他跳起身子，顧不得梳洗，就拾起那封信來。信封上娟秀的字迹，不用猜，也知道是誰寫的。已經每天見面了，爲什麼她還會寫封信來，爲什麼?難道——又有了變化?他心跳停止了三秒鐘，不信!不可能!他迅速的拆開信封，打開信箋。於是，他看到了一封好奇異的信：

——印象中的你——一張稚氣的臉孔彷彿永遠都只有十八歲，頭頂上閃爍著光亮的髮絲。嘴脣厚嘟嘟的，就像是三歲的小女孩，偷擦媽媽的口紅，想要把自己扮得成熟一樣可笑，配合著一對大大亮亮的眼睛。嗯，戴上頂長長的假髮，一定是個可愛的洋娃娃。

——最喜歡坐在一角，欣賞你談話的姿態，充滿了自信與自負。

——最欣賞你難能可貴的赤子之心。

——最佩服你絕佳的記憶力，以及你對人生和生命的深刻看法，絲絲縷縷，讓人驚嘆！

——最不喜歡你吃醋或傷心的樣子，可是偏偏都是我的錯，總是糊裏糊塗的拿醋給你當點心吃。

——最讓我驚訝的，是你永遠知道我需要什麼。

——最讓我討厭的一句話是：看醫生去！

——最喜歡聽到你說『這實在不算什麼』的豪語！

——最高興看到你談起你的艷遇，又故意炫耀的加上一句『亂煩的！』說得跟眞的似的。

——最不喜歡看你穿窄褲管的長褲。

——第一次發覺你好傻好傻，是你告訴我，你已四餐沒吃了，就爲了我家的電話壞了。

——第一次發覺我好傻好傻，是跟你合照了一張照片，就爲了個兩面都刻了『壹圓』的正面銅板。

——心中最不忍的一次是在海邊，聽你談『麻雀』怎麼飛的故事。

——你最惹我生氣的一次，是整個暑假像瘋子似的去打工，故意置我於不顧。

——最喜歡看你的一身搭配，是一件深咖啡色襯衫，外加一條微泛白的藍色牛仔褲！

——最喜歡看你的眼神，那麼純眞，那麼誠摯！

——最喜歡聽你說話，那樣滔滔不絕，充滿智慧。

——最，最，最……太多的最字，實在寫不下了。總之，最喜歡你那些『最』字！

——給韓青——

鴕鴕　寫於認識週年

哦！多麼可愛的一封信箋！多麼可愛！他把信紙貼在胸口，好一會兒，只能虔誠的站在那兒一動也不動。然後，他的思想恢復了，他的神志清醒了，他的心臟雀躍了，他的每個細胞都在歡笑了。認識一週年！該死，十月二十四日！他一直以爲她忘了這個日子！他曾爲這日子準備了一件小禮物，但是，和她這封信比起來，那小禮物就太微不足道了。

他『衝』進浴室，閃電般梳洗。然後，從衣橱裏翻出那件深咖啡色襯衫和微泛白的牛仔褲，穿好了，望著鏡子，梳梳那會『閃光』的髮絲，會『閃光』？哇，鴕鴕的眼睛有些問題，改天該帶她去看看眼科醫生，不不，她最討厭看醫生！不過，鏡子裏的髮絲實在沒什麼閃光，他搖搖頭，對著鏡子笑了。

他再『衝』到房門邊，要下樓去借電話打給鴕鴕，雖然才九點十分，管他呢！即使是她母親接到電話，他也不管了，也不顧了。

打開房門，他正要『衝』出去，却慌忙站住脚，驚愕的睜大了眼睛，鴕鴕正捧著一束花，笑吟吟的站在房門口呢！

『先生，』鴕鴕裝出台灣國語來，眼睛亮閃閃的，聲音清脆脆的說：『剛剛有位小姐，叫我送花來給你，她說要先把信封從門縫裏塞進去，然後站在這裏等你開門，她說我不可以先敲門，一定要站在這裏等。所以，先生，我已經等了……』她看手錶：『四十七分又二十八秒鐘了！』

噢！鴕鴕！他忘形的把她一把抱了起來，她高舉著花束，怕他把花朵弄壞了。他抱著她轉，抱著她跳，抱著她又叫又嚷：

『瘋鴕鴕！傻鴕鴕！妳怎麼可以在門口站這麼久！妳不知道我會心痛嗎？瘋鴕鴕，傻鴕鴕！

妳怎麼可以寫那麼動人的信給我，妳會讓我得意忘形呢！瘋鴕鴕，傻鴕鴕，妳怎麼可以這樣可愛，這樣玲瓏剔透，這樣詩意又這樣迷人啊！』

鴕鴕笑著，被他轉得頭昏昏的，她却笑得好開心好快樂。一面笑，一面說：

『放我下來，傻瓜！讓我把花插起來！這種大日子，非要插一束花不可！你這間小屋，也實在太單調了，眞需要一些鮮花來點綴點綴呢！』」

他把她放下來，兩人到處找花器，最後，只找到一個插筆的筆筒。裝了水，她插著花，一面插，一面說：

『這兒有十二朵花，代表我們的十二個月，其中有甜有苦，有歡樂有傷心，但是，十二個月裏都有愛，都有愛！所以，我就買了十二朵玫瑰花！』

她說得多麼好聽！他凝視她，今天的她，多麼漂亮，多麼煥發。她穿了件鵝黃色襯衫，綠色燈芯絨長褲，加了件綠色滾黃邊的小背心，就像一朵嬌嬌的小黃玫瑰，被嫩嫩的綠葉托著；如此清新，如此美麗，如此青春！唉！生命是多美好呀！青春是多美好啊！他忍不住擁她入懷，吻她，又吻她。

『我也有東西送給妳！』他說：『只是，和妳的禮物比起來，我的這件東西就太庸俗了。』

『是什麼？是什麼？』她好奇而喜悅的叫著。『快拿給我看！』

『等一下，』他說：『妳吃過早餐嗎？』

『還沒有。』

『好，我們先出去吃早餐，吃完東西，回來再拿給妳！』

『不要！』她扭著身子。『我要先看。』

他把她往門外拉去。

『我餓了，走！我們去吃豆漿油條！』

他們去巷口的豆漿店裏，叫了油條，叫了小燒餅，他一面吃，一面看著她說：

『在今天，認識一週年的紀念日，我能不能要求妳幾件事呢？』

『要聽聽看是什麼要求。』

『不會故意刁難妳的，妳知道我從不刁難妳的。』

『好，你說！』

『要愛惜自己的身體，尤其妳的胃。』

『好。』她柔順的。

『不許吃冰的東西！』

『好。』

『不許吃辣的東西！』

『好！』

『不許空肚子去上課！』

『好！』

『不許半夜看書到天亮！』

『好！』

『不許淋雨！』

『好！』

『不許爲了和弟弟妹妹吵架就不吃飯！』

『好！』

『要快樂的生活！』

『好！』

『要常常笑！』

『好！』

『要嫁給我！』

『好！』

鮀鮀一說出最後一個『好』字，就發現上當了。因爲韓靑一連串說的都是些不很重要的事，在這個快樂的日子裏，儘可以大方的去依順他。誰知他忽然冒出一句『要嫁給我！』她答得太順口了，『好』字已衝口而出，這個字一出口，韓靑可樂壞了！他揚著眉，笑得那麼神采飛揚，整個臉上都綻放出光彩來。他的手伸到桌面上，壓住了她的手，鄭重的、欣悅無比的說：

『一諾千金啊！再無反悔啊！』

『不行不行！』她笑著嚷：『你這人有點賴皮，你故意讓我上當……』

『噓！』他噓著，阻止她說下去。『人類相愛，就要互許終身，這是彼此對彼此的付出，難道，妳對我還有什麼不滿意……』

『有啊！』她順口喊。

『是什麼？』

『你太瘦了！』她亂找原因。不過，那時的韓青，確實很瘦，暑假的瘋狂工作把他的體力消耗了太多，那時，他只有五十四公斤。

『六十公斤。』

『太瘦了？怎麼辦？』他瞪著她。『要多胖妳才滿意？』

『六十公斤？』他算了算，回頭就對那老闆說：『給我拿十個糯米飯糰來！』

『你要幹什麼？』鮀鮀睜大眼睛問。

『吃啊！不吃怎麼能胖呢！』

說著，他就眞的開始狠吞虎嚥的吃起那糯米飯糰來。她睜大眼睛看他，故意不去阻止他，看他要如何收場。那知，他左吃一個飯糰，右吃一個飯糰。伸長了脖子，就那樣一個又一個的塞進去。她看得自己的喉嚨都代他噎起來了，自己的胃都代他脹起來了，當他去吃第六個的時候，她終於忍無可忍的抓住了他的手，叱罵著說：

『你這個神經病！你準備噎死啊！如果你噎死了，我嫁給誰去？』

一句話就讓他靈魂都出了竅，心都快飛上天了。他不吃了，只是看著她傻傻的笑。

然後，他們回到了小屋裏，他鄭重的從口袋中掏出一個小首飾盒，打開來，裏面是個純金的、鏤空雕花，手工非常樸拙，非常古老的一個戒指。

『這是我給妳的！』他愼重的說。

『哦！』她驚呼著。『戒指！這……這……這豈不太嚴重了嗎？你去訂做的嗎？你把錢都去訂了這戒指嗎？這……這……』

他拿起她的手，把戒指套在她中指上，不大不小，剛剛正好。她掙扎著，想脫下來。他握緊了她的手，虔誠的、鄭重的、溫柔的、深刻的一直看進她眼睛深處去。他一個字一個字，懇懇切切的說：

『這不是我買的戒指，這是個很舊很古老的東西，它是我外公送我外婆的禮物，外婆又把它送給了我母親。當我來台北時，母親怕我沒錢用，把這戒指給了我。這些年，我窮過，我苦過，我當過手錶，當過外套……就是沒有賣掉這戒指。它並不很値錢，不是鑽石，不是紅寶，只是個製造得土土的、拙拙的金戒指，但它有三代之間的愛。我把它給妳，不敢要求妳什麼，只是奉獻我所能奉獻的；我的未來，我的生命，我全部全部的愛。妳能脫下來嗎？妳能不要嗎？妳能拒絕嗎？』

『哦！韓青！』她低喊著，抬眼看他，眼睛又濕了。『你怎麼能對我這麼好？你怎麼能這樣愛我？我覺得我的缺點好多好多，我虛榮，我善變，我任性，我倔强，我又愛哭……我……我……』

他用唇堵住了她那囁嚅著、輕顫著的唇。她情不自已，就全心震顫著去接受這吻了，她的雙臂挽住了他的頸項。他閉上眼睛，用整個心靈去體會這個『愛』字，用整個心靈去『吻』她。他們站立不住，滾到了床上，他繼續吻她。十二朵玫瑰在空氣裏綻放著甜甜的香味。甜甜的，甜甜的，甜甜的……如蜜，如酒，如香醪，帶著令人暈眩的魅力。他的頭有些暈，他的心怦怦跳著，他的神思恍惚，他的身體和心靈都在强烈的感受著那個『愛』字。於是，不止於唇與唇的接觸，他吻她的眉心，吻她的睫毛，吻她發熱的面頰，吻她翹翹的鼻尖，吻她那有個『小酡酡』的耳垂，吻她修長的頸項，吻她頸項下的那個小窩窩……然後，吻把什麼都攪熱了，吻把什麼都融化了，吻把什麼都突破了。禮教，尊嚴，傳統……一起打破。終於，在他們認識的一週年這天，他們那麼相愛，那麼相愛，那麼相愛……他們奉獻了彼此，從心靈，到肉體。並深深去體會到，世界上最深切最密切最眞切的愛，就是在靈肉合一的那一刹那。

十二朵玫瑰花綻放著芬芳，甜甜蜜蜜溫溫柔柔的芬芳。充塞在室內，充塞在空氣中。收音機裏，正播著一支英文歌：How Deep Is Yuor Love。

13

韓青唸大四的這學年，該是他生命中最最幸福的日子了。

那學期，他一共只有九個學分，爲了要和鮀鮀在一起，他選的九個學分，全集中在每星期一和星期二上課，然後，他一週內有五天都是空閒的。

這五天的生活有如天堂，這五天的每一剎那都是永恆！他和鮀鮀把這五天塡得滿滿的，那生活變得比較規律化了。差不多每天都一樣，他早上起床後，在九點三十分打電話給她，然後，他開始練毛筆字，練上兩小時。她會在十一點多鐘到他的小屋。她不會空手來，因爲『經濟』一直是大問題，她也懂得幫他如何省錢了。她會帶來一兩個菜，她燒的菜總是第一流的，他們買了個電鍋，自己煮中飯吃，自己洗碗筷，儼然過的是小夫小妻的生活了。吃完午餐，他們會甜甜蜜蜜的膩在一起，說不完的話，談不完的未來。當然，他還要幫她作功課、抄筆記、查字典……或者，他們會出去玩，看電影、逛街、欣賞行人，跑到『來來』的許願池去許願。哦，談到許願，韓青總忘不了她那虔誠的模樣，她丟了一個銅板，竟許了三個願。一個為他們，一個為徐業平和方克梅，一個為徐業偉和丁香。噢，其實一句話就夠了：願天下有情人皆成眷屬！

下午五點多鐘，他就送她去輔仁，他們的晚餐往往在輔大的『仁園』餐廳中草草結束。然後，她上課，他就點燃一支香烟，叫一杯咖啡，拿一本書，坐在那兒等她下課。有那麼長一段時間，他總是『孤獨』（表面上孤獨，實際他快樂得很呢）的坐在『仁園』喝咖啡，居然引起一兩個女生的注意，找他說話，找他聊天，找他做朋友。他把這事告訴鴕鴕的時候，那股得意勁兒就別提了！鴕鴕也總是點著腦袋，煞有其事的幫他接一句：

『亂煩的！』

『妳以為我蓋妳？』他有些不服氣。

『不不。我完全相信。漂亮的小男生總有些漂亮的小女生來追，你可以大大方方多交兩個女朋友，別成天粘著我，那麼，我也可以多交兩個男朋友……』

『停！』他只好叫停。『我蓋妳的！』他打了自己腦袋一下。『我就是這樣，喜歡吹牛！該死！』他再打了自己一耳光。

她笑彎了腰。

那些日子，她差不多每天都要上課上到十點多鐘，他等她下了課，就把她送回家，到了三張犁，也就相當晚了，當然，他們在分手前還要『話別』一番。最後，他總是匆匆忙忙的搭欣欣254路最後一班車；十一點二十分回家。接著，就再迎接第二天的來臨。

這段時間，鮀鮀眞是乖極了，可愛極了，除了偶爾耍耍小個性之外，她簡直是完美無缺的。自從認識週年那天，他們突破了『友誼』最後的防線以後，兩人間的默契就一天比一天重了。雖然，她始終不肯帶他回家去見父母，他也不急，反正這是遲早的事，如果鮀鮀說時機未到，就是時機未到，他一切都聽她的。不過，在週年紀念那天以後的好幾天之內，她每每想起，就會掉眼淚，啜泣著一再低語：

『我不是媽媽的乖女兒了！我再也不是他們的乖女兒了！假若給他們知道了，我眞不敢去想……』

『可是，鮀鮀，』他會急急的擁住她，急急的喊：『遲早，妳會屬於我，對嗎？自從妳給了我一個八位數的電話號碼那天起，我就知道我要妳要定了。鮀鮀，請不要為這件事責備自己，請不要有犯罪感，只要我們的動機是出於愛，一切都是美的，一切都是好的，一切都是正確的。妳一定要有這種觀念和認識！』

『但是，我以前也交過男朋友，從來沒有……』

『我知道。』他鄭重的握起她的手，虔誠的吻她的手指。『那些男孩只是妳生命裏的過客，而我將是妳的主人。我用主人兩個字，並不表示妳是奴隸，只表示我是妳的歸依，妳的支持，妳的力量，妳的安慰，妳的堡壘，妳的避風港……妳一切的一切。』

『可是……』她仍然垂著淚：『假若我又變了，假若我又禁不起考驗……』

『鮀鮀！』他有些生氣了，大聲的說：『妳怎麼還可以這樣說！』

『世界上沒有恆久的東西……』她仍然在爭辯：『你也可能變的！當一個男孩完全得到一個女孩之後，他會認為已經攻陷了那座城堡，於是，新的城堡會再吸引他去進攻。我看過不少這種例子，像阿琴，像小琪，像斐斐……都是這樣失去了她們的男朋友！』

『於是，妳也把我看成這種人！』他咬牙說。到浴室裏去找剃刀，取出刀片。她驚呼著去抓住他的手腕，變色說：

『你要幹什麼?』

『用我的血，寫一個誓言，如果我有一天負了妳，我會被天打雷劈，被五馬分屍，被打入十八層地獄，永世不得超生……』

他眞要用刀片切手指寫血書，她這一驚非同小可，又哭又叫的去搶刀片。他推開她，硬是要寫血書。她又急又怕又心痛，眼看那鋒利的刀片就要對手指切下去了，她大急之下，胃疼的老毛病立刻發作。捧著胃，她痛得身子全痙攣了起來，臉色倏然間就血色全無，冷汗從額上滾滾而下，她彎著腰，捧著胃大叫。他一看到她發病，嚇得手指也不割了，血書也不寫了，只是跳著脚喊：

『躺到床上去別動，我給妳拿胃藥!』

他奔到桌子邊，拉開抽屜，發現胃藥全給她吃光了，一包也沒有了。他返身把她按進椅子裏，急急的說：

『妳等著，我去給妳買藥!』

說完，他打開房門，奔下三層樓，奔出公寓，直奔大街，那兒有一家熟悉的西藥房。當他快奔到藥房門口，忽然腳底一陣尖銳的刺痛，他低頭一看，才發現自己竟連鞋子都忘記穿，光著腳丫就跑到大街上來了。大概踩到了碎玻璃，腳趾在流血了。顧不得這麼多，他買了胃藥，又直奔回家，奔上三層樓，衝進房間，他的腳也跛了。

鮀鮀蜷縮在椅子裏，睜大眼睛看著他。他慌忙的倒開水，慌忙的把藥包打開，慌忙的餵藥給她吃。她吃完了藥，捧著胃，仍然希奇的盯著他看。

『你沒穿鞋就跑出去了嗎？』她問。

『是呀，我忘了穿。』

『你……』她結舌的，『你這人眞……』她想罵，又忍住了，瞪著他的腳趾：『老天，你在流血了！』

『是嗎？』他坐在床沿上，看著那腳趾：『我本來想割手指頭，結果割了腳趾頭！』他還說笑話呢！『可見，我非用血跟妳發誓不可！只是，腳趾頭寫字可不大方便，我每天練字，就忘了用腳練！』

『你這人！』她噘著嘴，又氣又急，從椅子裏站起來，滿屋子想找紅藥水。『一定要趕快上藥，當心弄個破傷風什麼的！該死！連瓶紅藥水都沒有！』

他一把抱住她到處亂轉的身子，柔聲問：

『胃還痛嗎？』

『你啊！』她氣呼呼的喊，眼圈紅紅的。『你把我的胃氣痛了，又把我胃氣好了！從沒看過像你這樣的人，光著腳跑到大街上去！人家一定以爲你是從精神病院裏逃出來的……我……我……我會被你氣死！給我看，給我看！』她彎腰去看他的腳。眼圈更紅了。『你瞧你瞧！流了好多血！劃了那麼深一個口子呢！你瞧你瞧！』她哽塞著：『看你明後天怎麼上課？看你怎麼走路……』

他拉起她的身子來，擁她入懷。

『鮀鮀！』他啞聲說：『我可以爲妳死！妳怎麼還能懷疑我會變心……』

『不不！』她急切的接口：『再也不懷疑了，永遠不懷疑了，如果連你這種愛都會變心，世界上還有值得信賴的男人嗎？』

『而妳，鮀鮀，』他更深刻的說：『也不允許再變了！不允許再有第三者！不允許再受誘惑！妳知道妳現在是我的什麼人嗎？』

她含淚瞅他。

『妳是我的愛人，我的朋友，我的妻子，我的女兒，我的母親……我所有對女性的愛，各種不同的愛，都滙聚於妳一身，只有妳，只有妳，只有妳！』

她感動至深，忍不住抱緊了他的頭。

『再不胡思亂想了！再不懷疑你了！再不說讓你傷心的話了！也再不、再不、再不……』她一連用了好幾個『再不』：『再不去注意任何男孩了，因爲我已經有了你！有了你！有了你！』

這種情人間的誓言是多麼甜蜜，這種諾言是多麼珍貴，這種生活豈像人間？即使神仙，也沒有這麼多的快樂。韓靑是太快活了，太滿足了，太感激造物主及上帝了。他謝謝上帝給了他生命，來愛上鮀鮀，他更謝謝上帝，給了鮀鮀生命，來愛上他。原來，生命的意義就是這樣，在世界的各個角落，造一個你，造一個我。再等待適當的時機，讓這個你，讓這個我，相遇，相知，相愛，相結合。原來，生命的意義就是這樣的。於是，韓靑不再懷疑生命，不再懷疑冥冥中存在著的那個『神』。天生萬物，必有道理，他相信每個生命的降生，都出於一個字：愛。包括他自己的降生。

那段日子是太甜蜜了，那段日子是太幸福了。那段日子，歡樂和幸福幾乎都不再是抽象名詞，而變成某種可以觸摸，可以擁抱，可以攜帶著滿街亮相的東西了。生活仍然是拮据的，拮据中，也有許多不需要金錢就能達到的歡樂。春天，他們常常跑到植物園裏去看花，坐在椰子樹下，望著那些彩色繽紛、花團錦簇的花朵，享受著春的氣息，享受著那自然的彩色的世界。由於兩人在一起的時間多半都是白天，晚上鮀鮀要上課，上課後又要馬上回家。韓青總覺得彼此的『夜』都很寂寞，都很漫長。有天，坐在植物園裏，看著一地青翠，他們買了包牛肉乾，兩人吃著吃著。他突然轉頭看她，學貓王的一支名曲，對她唱了一句：

『Are you lonesome tonight?』

鮀鮀仰了仰下巴，很快的，驕傲的答了一個字：

『No！』

韓青開始和她談別的，談了好久好久，他忽然又轉頭看她，溫柔的再唱了一句：

『Are you lonesome tonight?』

鮀鮀的腦袋歪了歪，眼睛裏閃出柔和如夢的光彩來，唇邊湧出一個很可愛的微笑，她回答：

『May be！』

韓青又去談其他的題目，談著談著，他第三次轉向她，更溫柔的唱：

『Are you lonesome tonight?』

鮀鮀嘆著氣笑了，她的頭低了下去，很乾脆的回答：

『Yes！』

韓青多快活啊！那一整天他們都很快樂，只爲了這樣的幾句問話和答話，他們就很快樂！這種情人間的小趣味，這種幽默，只有他們自己才能深深體會深深瞭解而樂在其中。同時，韓青還常常喜歡送一些可愛的小禮物給鴕鴕。

鴕鴕和所有女孩一樣，是愛漂亮的，喜歡一切會閃光能點綴自己的小裝飾品。韓青買不起百貨店裏琳瑯滿目、五花八門的小玩意，手鍊、項鍊、耳環、別針、髮夾……可是，他會做。

他曾用好幾個不眠的夜，把各種核桃類的硬殼敲碎，打孔，穿上皮線，製成項鍊送給她。他也曾拔下水龍頭上的鍊子，用三、四條聚在一起，製成一條手鐲給她。最別出心裁的，是在九重葛盛開的季節，他採集了各種顏色的九重葛，把它們穿成一串又一串。那九重葛的顏色繁多，有粉紅，有桃紅，有淡紫，有深紫，有純白，有淺黃……他把這些小小花朵，五色雜陳的，穿一串爲項鍊，穿一串爲手鐲，穿一串爲髮飾。戴在她頭上、脖子上、手腕上。她那麼喜悅，那麼驕傲，那麼快樂，而又那麼美麗！她渾身都綻放出光彩來了，她整個眼睛和臉龐都發光了。那天晚上，她就戴著這些花環去上課。老天！那晚她多麼出風頭啊，所有的女孩兒們都包圍著她，羨慕的，驚訝的，讚美的叫著：

『妳在那兒買來的呀？』

『哦，妳們買不到的。』她笑著。

『妳從那兒弄來的呢？』

『哦，妳們弄不來的！』

『妳分給我一串好嗎？』

『哦，這是不能分的！』

眞的，誰聽說過『愛』可以分呢？可以買呢？誰說過貧窮會磨損愛情呢？誰說『貧賤夫妻百事哀』呢？誰說現實與愛情不能揉在一塊兒呢？誰說現代的年輕人只追求物質生活呢？誰說現在的大學生都不尊重『愛情』呢？誰說？誰說？誰說？

14

三月中旬，發生了一件事情。

那天，鴕鴕臉色沉重的來找韓青，很嚴肅的，很焦慮的，很煩惱的說：

『告訴你一件事，方克梅有了。』

『什麼？』他一時轉不過腦筋來。『有了什麼？』

『唉！』鴕鴕嘆氣：『孩子啊！她懷孕了。她剛剛告訴我的，哭得要死。她說不知道該怎麼辦，如果給她家裏發現，一定會把她揍死。你知道，她父親那麼有地位，是民意代表呢！方克梅從小又學鋼琴又學小提琴，完全被培養成一個最高貴的大家閨秀。現在好了，大學三年級，沒結婚就懷孕，她說丟人可以丟到大西洋去！』

『徐業平呢？』他急急的問：『徐業平怎麼說？』

『他們說馬上來你這兒，大家一起商量商量看。不過，方克梅說，只有一個辦法可行！』

『什麼辦法？』

『打掉它！』

『那也不一定呀！』韓青熱心的說：『如果方家同意，他們可以馬上結婚，都過了二十歲了……』

『你不要太天真好不好？』鮀鮀正色說：『徐業平拿什麼東西來養活太太和孩子？他自己大學還沒畢業，畢業後還有兩年兵役，事業前途什麼都談不上！他的家庭也幫不上他的忙！結婚！談何容易！』

韓青瞪視着鮀鮀，忽然就在徐業平身上看到自己的影子，學業未成，事業未就，中間還橫亙着兩年兵役！他瞪着眼睛，不敢說話了。尤其，鮀鮀那滿面愴惻之情裏，還帶着種無言的譴責，好像方克梅懷孕，連他都要負責任似的。他知道，人類的聯想力很豐富。正像他會從徐業平身上看到自己，鮀鮀何嘗不會從方克梅身上看到她自己！他想着，就不由自主的伸手握緊了鮀鮀的手。

『妳放心，』他說：『我會非常小心，不會讓妳也碰到這種事！』

鮀鮀用力把自己的手抽回去，咬着牙說：

『反正，你們男人最壞了！最壞了！』

什麼邏輯？韓青不太懂。但他明白，此刻不是和鮀鮀談邏輯，談道理的時候。此刻是要面臨一個問題的時候，這問題，不是僅僅發生在徐業平和方克梅身上的，也可能發生在他們身上，發生在任何一對相愛的大學生身上的。

下午，方克梅和徐業平來了。

方克梅眼睛腫腫的，顯然哭過了。徐業平也收起了一向嘻嘻哈哈愛開玩笑的樣子，變得嚴肅、正經，而有些垂頭喪氣。

『我們研究過了，』徐業平一見面就說：『最理智的辦法，就是打掉它！我不能讓小方丟臉。至今，小方的父母還沒見過我，他們現在絕對沒有辦法接受我，尤其在這種情況之下。所以，只有拿掉它！』

方克梅揉揉眼睛，鮀鮀走過去，用胳膊護着她。什麼話都沒說，兩個女孩只是靜靜的相擁着。韓青凝視徐業平，徐業平對他惻然的搖頭，他在徐業平眼底讀出了太多的愴然，太多的無可奈何。於是，他什麼意見都沒有再提出來，只問：

『有沒有找好醫院，錢夠嗎？』

『錢，小方那兒有。斐斐說，去南京東路，那個醫生馬上可以動手術，只要兩千元。』

兩千元！原來，只要兩千元就可以扼殺一條小生命。韓青默然不語。徐業平說：

『能不能請你和袁嘉珮陪我們一塊兒去？說眞的，我從沒有這樣需要朋友，而你們兩個，是我們最要好的朋友！我想，這事最好是速戰速決……』他轉頭去看方克梅：『小方，妳怎樣？如果妳還有什麼……』

方克梅迅速的回過頭來，挺了挺背脊，忽然瀟洒的甩了甩那披肩長髮，居然笑了起來：

『說走就走吧！』她大聲說：『我打賭，每天有人在做這件事，我不是第一個，也絕不會是最後一個！別人都能瀟洒的做，我爲何不能？』

於是，他們去了那家醫院。

醫生和護士都是撲克面孔，顯然對這種事已司空見慣。當然，徐業平和方克梅在病歷上都塡了假名字假地址，醫生和護士也不深究。然後，方克梅被送進手術房，護士小姐對他們笑笑說：

『放心，只要二十分鐘就好了，手術之後躺半小時，等痲醉藥一退就沒事了。很簡單的，用不着休養，可以照樣唸書——呃，或者上班的！』

難道連護士都看出他們是一羣大學生嗎？徐業平默默不語，走到窗邊去猛抽着煙，韓靑也燃上一支煙，陪着他抽。鮀鮀不安的在手術室門口張望，然後就若有所思的沉坐在一張沙發中，順手拿起一本雜誌來看，那雜誌的名字叫：嬰兒與母親。

眞的，一切好簡單，二十分鐘後，手術已經完畢。而一小時後，他們四個就走出醫院，置身在黃昏的台北街頭了。徐業平用手攙着方克梅，從沒有那麼體貼和小心翼翼過，他關懷的問：

『覺得怎麼樣？』

『很好。』方克梅笑笑。『如果你問我的感覺，有句成語描寫得最恰當：如釋重負。而且，我告訴你們，我發現我餓了，我想大吃一頓！』

『這樣吧，』韓靑說：『我請你們吃牛排！剛好家裏有寄錢來！讓我們去慶祝一下……呃，』他覺得自己的用辭不太妥當，就頓住了。

『本來就該慶祝！』方克梅接口：『我們解決了一件難題，總算也過了一關！走吧，韓靑，我們大家去大吃它一頓，叫兩瓶啤酒，讓你們兩個男生喝喝酒，徐業平也夠苦了，這些天來一直愁眉苦臉的！現在都沒事了！大家去慶祝吧！』

於是，他們去了一向常去的金國西餐廳，叫了牛排，叫了啤酒，叫了沙拉，好像眞的在慶祝一件該慶祝的事。兩個男生喝了酒，兩個女生也開懷大吃。徐業平灌完了一瓶啤酒，開始有了幾分酒意，他忽然拉着方克梅的手，很鄭重的說：

『小方，將來我一定娶妳！』

方克梅紅着眼圈點點頭。

『小方，』徐業平再說：『將來我們結婚後，一定還會有孩子。我剛剛在想，等我們未來的孩子出世以後，我們應該坦白的告訴那個孩子，他曾經有個哥哥，因爲我們還養不起，而沒有讓他來到人間。』

『嗯，』方克梅一個勁兒的點頭。『好，我們一定要告訴他。不過你怎麼知道失去的是哥哥呢？我想，是個姐姐。』

『不，』徐業平正色說：『是個男孩。』

『不！』方克梅也正色說：『一定是個女孩！』

『男孩！』徐業平說。

『女孩！』方克梅說。

『這樣吧！』徐業平拿出一個銅板。『我們用丟銅板來決定，如果是正面，就是男孩，如果是反面，就是女孩！誰也不要再爭了！』

『好！』方克梅說。

他們兩個眞的擲起銅板來，銅板落下，是反面，方克梅贏了。她得意的點頭，認眞的說：

『瞧！我就知道是女孩，我最喜歡女孩子！』

『好，』徐業平說：『我承認那是個女孩子。現在，我們該給那個女孩取個名字，將來才好告訴我們未來的兒子，他的姐姐叫什麼名字。』

『嗯，』方克梅想了想。『叫萍萍吧，因爲你的名字最後是個平字，萍萍，浮萍的萍，表示她的生命有如浮萍，飄都沒飄多久，連根都沒有。』

『那何不叫梅梅，』徐業平說：『因爲妳名字最後一個字是梅，梅梅，沒沒，沒有的沒，所以最後就沒有了。』

『不不，叫萍萍。』

『不不，叫梅梅。』

『萍萍！』

『梅梅！』

看樣子，兩個人又要擲銅板了。剛剛那個銅板已經不知道丟到那兒去了。韓青一語不發，就從口袋裏掏出一個銅板給他們。徐業平拿起銅板往上拋，落下來，名字定了，是梅梅，也是『沒沒』。鴕鴕忽然推開椅子，站起身來，往大門外面衝去。韓青也站起身來就追，在門外，他追到鴕鴕，她正面對着牆壁擦眼淚。韓青走過去，溫柔的擁住她的肩：

『不要這樣子，』他說：『妳會讓他們兩個更難過。我們一定要進去，吃完這餐飯！』

『我知道，我知道。』鴕鴕一疊連聲的說：『我只是好想好想哭，你曉得我是好愛哭的！我不能在他們面前哭，是不是？』

韓青拿出手帕給她擦眼淚。

她擦乾了淚痕，振作了一下，她重新往餐廳裏走，她一面走，一面很有力的問了一句：

『韓青，你對生命都有解釋，你認爲所有的生命都有意義，那麼，告訴我，那個小梅梅是怎麼回事？』

韓青無言以答。他心裏有幾句說不出口的話；我們以爲自己成熟了，但是我們什麼都不懂。

我們以為可以做大人的事了，但是我們仍然在扮家家酒，我們以為我們可以『雙肩挑日月，一手攬乾坤』，實際我們又脆弱又無知！哦！老天！他仰首向天，我們實在不知道自己做了些什麼，我們也實在不知道自己懂得些什麼。

在這一剎那，韓青的自負和狂傲，像往低處飛的痲雀，就這樣緩緩的落於山谷。謙虛的情懷，由衷而生。同時，他也深深體會出來，生命的奧秘，畢竟不能因為他個人的『悲』與『喜』來作定論，因為，那根本就沒有定論，來的不一定該來，走的也不一定該走。

『鮀鮀，』他終於說出一句話來：『我們活着，我們看着，我們體會着，我們經歷着……然後，有一天，妳會寫出那個——木棉花的故事。那時的妳和我，一定會比現在的妳我對生命瞭解得多些！』

15

接下來，是一段相當忙碌的日子，韓青的大學生涯，已將結束。畢業考，預官考……都即將來臨。大學四年，韓青荒唐過，遊戲過，對書本痛恨過……然後，認識鴕鴕，歷史從此頁開始，以往都一筆勾銷。鴕鴕使他知道什麼叫『愛』，鴕鴕使他去正視『生命』，鴕鴕讓他振奮，讓他狂歡，讓他眩惑也讓他去計畫未來。因而，這畢業前的一段日子，他相當用功，他認眞的去讀那些『勞工關係』，不希望在畢業以後，再發現在大學四年裏一無所獲。

五月一日，預官放榜，沒考上。換言之，他將在未來兩年中，服士官役。

五月三十日，星期二，韓青上完了他大學最後的一堂課，當晚，全班舉行酒會，人人舉杯痛飲，他和徐業平都喝醉了。徐業平的預官考試也沒過，兩人是同病相憐，都要服士官役，都要和女友告別。醉中，還彼此不斷舉杯，『勸君更盡一杯酒』，爲什麼？不知道。

六月一日開始畢業考，韓青全心都放在考試上。不能再蹈『預官』考的覆轍。考試只考了兩個整天，六月二日考完，他知道，考得不錯，過了。

六月十七日舉行畢業典禮，韓青的父母弟妹都在屏東，家中小小的商店，却需要每個人的勞力。韓青的畢業典禮，只有一個『親人』參加，鴕鴕。他穿著學士服，不能免俗，也照了好多照片，握着鴕鴕的手，站在華岡的那些雄偉的大建築前：大忠館、大成館、大仁館、大義館、大典館、大恩館、大慈館、大賢館、大莊館、大倫館……各『大館』，別矣！他心中想着，不知怎的，竟也有些依依不捨，有些若有所失，有些感慨系之的情緒。善解人意的鴕鴕，笑吟吟的陪他處處留影，然後，忽然驚奇的說：

『你們這學校，什麼館都有了，怎麼沒有大笑館？』

『大笑館？』他驚愕的瞪着她。『如果依妳的個性的話，還該有個大哭館呢！』

『別糗我！愛哭愛笑是我的特色，包你以後碰不到比我更愛哭愛笑的女孩！』

『謝了！我只要碰這一個！』

她紅了臉，相處這麼久了，她仍然會爲他偶爾雙關一下的用字臉紅。她看着那些建築，正色說：

『我不是說大笑館，這兒又不是廸斯奈樂園。我是說孝順的孝，你看，忠孝仁義，就缺了個孝字！唸起來怪怪的。而且，旣有大慈館，爲何不來個大悲館！』

『大悲館？妳今天的謬論眞多！』

『大慈大悲，是佛家最高的境界！我佛如來，勘透人生，才有大慈大悲之想。』

『什麼時候，妳怎麼對佛學也有興趣了？』他問。

『我家世代信佛教，只爲了祈求菩薩保平安，我們人類，對神的要求都很多。尤其在需要神的時候，人是很自私的。可是，佛家的許多思想，是很玄的，很深奧的，我家全家，可沒有一個人去研究佛家思想，除了我以外。我也是最近才找了些書來看。』

『爲什麼看這些書？』

『我也不知道。只爲了想看吧！我看書的範圍本來就很廣泛。你知道，佛家最讓人深思的是「禪」的境界，禪這個字很難解釋，你只能去意會。』

『妳意會到些什麼？』

『有就是沒有，眞就是假，得到就是失去，存在就是不存在，最近的就是最遠的，最好的也是最壞的……於是，大徹大悟；有我也等於無我！』

他盯着她，不知怎的，心裏竟蒙上了一層無形的陰影。談什麼眞就是假，談什麼得到就是失去……他不喜歡這個話題，離別在即，所有的談話都容易讓人聯想到不安的地方，他握牢了她的手，誠摯的說：

『我不夠資格談禪，我也不懂得禪。我只知道，得到決不是失去。鮀鮀，今天只有妳參加我的畢業典禮，妳代表了我所有的家人，所以，願意我用「妻子」的名義來稱呼妳嗎？最起碼，妳知我知，妳是我的妻子！』

她抬頭看他，把頭柔順的靠在他肩上。

『知道就是不知道……』她還陷在她那一知半解的『禪』的意境中：『願意就是不願意，所有就是一無所有……』

『喂喂！』他對着她的耳朵大叫：『妳就是我，我就是妳，天就是地，地就是天，陰就是陽，陽就是陰，乾就是坤，坤就是乾，丈夫是我，妳就是妻！』

她睁大眼睛，被他這一篇胡說八道，弄得大笑起來。於是，他們在笑聲中離別華岡，車子漸行漸遠，華岡隱在霧色中，若有若無，如眞如幻。離愁別緒，齊湧而來，韓青望着華岡那些建築物從視線中消失，還眞的感到『有就是沒有，存在就是不存在，最近的就是最遠的……』他摔摔頭，摔掉這些亂七八糟的思緒，摔掉這種愴惻的悲涼……摔掉，摔掉，摔掉。

可是，有些發生的事會是你永遠摔不掉的。

這天，徐業平兄弟帶着方克梅和丁香一起來了。徐業偉拉開他的大嗓門，堅持的喊：

『走走！我們一起去金山游泳去！今天我作東，我們在那兒露營！帳篷、睡袋、手電筒……我統統都帶了，吳天威把他的車借給我們用！走走！把握這最後幾天，我們瘋瘋狂狂的玩它兩天！丁香！』他回頭喊：『妳有沒有忘記我的手鼓？如果妳忘了，我敲掉妳的小腦袋！』

『沒有忘哪！』丁香笑吟吟的應着。『我親自把它抱到車上去的！』

『走走走！』徐業偉說是風就是雨，去拉每一個人，扯每一個人。『走啊！你們大家！』

韓青有些猶豫，因爲鴕鴕從華岡下山後就感冒了，他最怕她生病，很擔心她是否吃得消去海邊再吹吹風，泡泡水。而且，在這即將離別的日子裏，他那麼柔情繾綣，只想兩個人膩在一起，並不太願意和一羣人在一塊兒。他想了想，摸摸鴕鴕的額，要命，眞的在發燒了。

『這樣吧，』他說：『你們先去，我和鴕鴕明天來加入你們，今天我要帶她去看醫生！』

徐業偉瞪着鴕鴕，笑着：

『妳什麼都好，就是太愛生病！假若妳和我一樣，又上山，又下海，包妳會結結實實，長命百歲！好了！』他掉頭向大家，呼叱着：『要去的就快去吧，難得我小爺肯爲大家舉行惜別晚會，不去的別後悔！』

『是啊！』丁香笑着接口。『我們還要生營火呢！』

『那麼，』徐業平笑着對韓靑作了個鬼臉。『你們明天一定要趕來，我們先去了！』

『好！』韓靑同意。

『走啊！走啊！走啊！』徐業偉一邊笑着，一邊往外跑，丁香像個小影子般跟着他。他們衝出了門，徐業偉還在高聲唱着：

『歡樂年華，一刻不停留，
時光匆匆，啊呀呀呀呀呀，
要把握！』

徐業偉每次的出現，都像陣狂飆，等他們全體走了，韓青才透出口氣來。拉着鮀鮀，他央求她去看醫生，她直搖頭，他就用雙手捧定了她的頭，重重的吻她，她掙扎開去，嚷着：

『你就是這樣，傳染了有什麼好？』

『我就是安心要傳染，』他正色說，這是他們間經常發生的事，他總要重複他的歪理由。『希望妳身上的細菌能移到我身上來，那麼，妳原有九分病，我分擔一半，妳就只有四分半的病了！』

『唉！』鮀鮀嘆着氣。『韓青！』她的眼圈又紅了。『沒認識你以前，我雖然交了好多男朋友，可是，只有你讓我瞭解什麼叫愛情。』

『如果妳眞瞭解了，就爲我去看看醫生吧！』他繼續央求。『吃點藥，明天好了，我們才能好好的玩，是不是？妳答應過我，要爲我愛惜妳自己，假若妳這麼任性，我去服兵役的時候，怎麼能放得下心？』

『好好好，我去，我去！』她屈服了。嘆着氣。『你以前說，我像你的母親、姐妹、愛人、妻子、女兒……其實，正相反，你才像我的父親、兄弟、朋友、愛人、丈夫……及一切！』

他屏息三秒鐘，爲了她這句話，然後，他又重重的吻了她。

終於，她去看了醫生，只是感冒，沒有什麼太嚴重的。他餵她吃了藥，就强迫她臥床休息。感冒藥裏總混合着鎭定劑，她吃了藥就迷迷糊糊的睡着了。他又和往常一樣，搬張椅子坐在床前，癡癡的看着她的睡相，看着她低闔的睫毛，看着她小巧的鼻子，看着她微向上彎的嘴角……他的愛人、朋友、姐妹、妻子。唔，這是他的妻子！不論是否缺一道法律程序，她已是他的妻子！奇怪，爲什麼有句俗話說：太太是人家的好！他就覺得，一千千，一萬萬個覺得：太太是自己的好！

晚上七點多鐘，鮀鮀還沒睡醒，房東太太忽然來敲門，說有金山來的長途電話，他衝下樓去接電話，心裏一點什麼預感都沒有，只以爲是徐業平他們不甘寂寞，要他提前去參加『營火』會。拿起電話，他聽到的是方克梅的聲音，哭泣着，一連串的說：

『韓青，徐業偉淹死了！你快來，業平和丁香都快發瘋了！你快來，徐業偉淹死了！』

『什麼？』他簡直不相信自己的耳朵。徐業偉？那又會瘋又會笑又會鬧，又健康，又擅長游泳的孩子？那麼年輕，那麼强壯，那麼有生命力的孩子？不不，這是個玩笑，這一定是個玩笑！徐業偉那麼瘋，什麼玩笑都開得出來！這一定是個玩笑！

『韓青，是眞的！』方克梅泣不成聲。『他下午游出去，就沒游回來，大家一直找，一直找……救生員和救生艇都出動了，是眞的！他們找到了他……剛剛才找到，已經……已經……已經死了！眞的……眞的……』

拋下電話，他一回頭，發現鮀鮀直挺挺的站在門外。

『發生了什麼事？』鮀鮀問。

『我要趕到金山去！』他喊着，聲音粗嗄：『他們說，徐業偉淹死了！』

鮀鮀臉色慘白。

『我跟你一起去！』她喊。

『妳不要去！』他往三樓下衝。『妳去躺着！』

『我要去！』鮀鮀堅決的。『我要和你在一起！』

他們在八點鐘左右趕到了金山。海邊都是人，警員、救生人員、安全人員，以及徐業偉的父母、弟妹……全來了。徐業平一看到韓青，就死命的抓着他，搖撼着他的身子，聲嘶力竭的喊：

『你相信嗎？你相信嗎？這事會發生在小偉身上，你相信嗎？他的活力是用不完的，他的生命力比什麼都强，他才只有十九歲，他從來不知道什麼叫憂愁……爲什麼？爲什麼？爲什麼？韓青，爲什麼是他？爲什麼是他？……』

韓青無言以答。站在那海風撲面的沙灘上，他看到徐家兩老哭成一團，看到那已被遮蓋住的遺體；尤其，他看到那面手鼓，丁香正傻傻的、癡癡的緊抱着那手鼓……他什麼都忍不住了，他痛哭起來了，跌坐在沙灘上，他用手捧住頭，大哭特哭，淚如泉湧。

鴕鴕用雙手抱緊了他的頭，她也哭着，却沒有像他那樣沉痛得忘形，她還試圖要喚醒他：

『韓青，別這樣。韓青，你該去安慰他們的，你自己怎麼反而哭成這樣呢？』她抽抽鼻子，用手臂抹眼淚：『韓青，你不是說過，生命的來與去，都是自然的……』

『不自然！不自然！不自然！』他激烈的大喊：『如果老得像太師母，是應該去的。可是，小偉的生命還在最强盛最美好的時候，他怎麼可以去？他怎麼可以去？』他仰頭大叫：『上帝！祢在那裏？祢在那裏？』

上帝無言，海風無語。海浪撲打着岩石，發出一連串澎湃的音響：嘭嘭，嘭嘭嘭！猶如徐業偉還在敲擊着手鼓的聲音。手鼓！他回頭看，丁香孤獨的、不受人注意的坐在沙灘上，懷裏緊緊抱着那面手鼓，身上還穿着件游泳衣。他站起身來了，跟蹌的走到丁香身邊去。

『丁香！』他啞着喉嚨喊：『丁香！』

丁香像從沉睡中醒來，她抬起頭，臉色白得像月光，眼睛黑幽幽的如兩泓不見底的深潭。她居然沒有哭，她臉上一點兒涙痕都沒有，一絲絲都沒有。

『他說他前輩子是一條魚，』丁香細聲細氣的說：『結果，他去了。海，把他收回去了。』

『丁香！』他沉痛的握着那小小的肩，用力的喚着：『哭吧！丁香，哭吧！』

『不不！』丁香輕輕的搖搖頭，還像在做夢一樣。『他從來不喜歡看到我哭！他會罵我！我不哭！我不哭！他總是要我笑嘻嘻的，他說，他喜歡我，就是因爲我愛笑！』她居然捲起嘴角，微微笑起來。

『丁香！』他搖她，用力搖她。『妳哭，妳必須哭！妳放聲哭吧，丁香！』他試圖從她懷中取去那手鼓。

丁香立刻用全身力量壓在那鼓上。

『不行！他交給我保管的！』她說。『如果我弄丟了，他會生很大很大的氣！』

哦！丁香！小小的丁香！韓青茫然的站起身子，發現自己絕對不能幫她承受任何屬於她的悲痛，他只能無助的望着她。鴕鴕走來，用雙臂緊緊挽住韓青。

『怎麼會呢？』鴕鴕小聲的啜泣着。『怎麼會有這些事呢？我不懂。我以後，什麼都不敢說我懂得了。』

他緊緊的挽住鴕鴕，從沒有一個時刻，他覺得『存在』的價值是如此重要。再也不要去談『禪』了，存在絕對不等於『不存在』！嘭嘭嘭！海浪仍然一個勁兒的擊着鼓，嘭嘭嘭！

『聽！』丁香忽然說。

他和鴕鴕低頭去看丁香。

丁香滿臉綻放着光彩。

『他在唱歌呢！』她微笑着說：『他在唱：匆匆，太匆匆！聽見嗎？匆匆，太匆匆！』鴕鴕把面頰埋進了韓青的懷裏。

三天後，他們葬了徐業偉。丁香進了精神療養院。從此，韓青沒有再見過丁香。

16

一九七九年六月二十四日，韓青和鴕鴕認識滿二十個月。不知從何時開始，他們以每月來計算相識的日子，也以每月的二十四日爲紀念日，小小慶祝，並且彼此祝福。

這個月的二十四日並不很好過，徐業偉的事件還深深影響着他們，那悲哀的氣氛一直緊壓在兩人心頭。而且，韓青必須回屏東去了，因爲，召集令隨時可能下來，他一定要回家等兵役通知。等接到通知後，他也不知道是否還有時間來台北，還是要直接去服役，所以，離愁別緒，千匝萬匝的箍在兩人身上，心上，思想中，意識中，擺脫不開，揮之不去。

這天，他們在小風帆吃晚餐，喝了一點酒，兩人都想把空氣放輕鬆一點，只是，都做不到。

飯後，回到小屋裏，面面相對，就更是離愁千斛了。韓青注視着她，千言萬語，全不知從何說起，只覺得一千個一萬個放不下心。即使兩心相許，未來是不是都能如願呢？吳天威對他說過幾句很重的話：

『你知道我為什麼不交女朋友嗎？我不想在服兵役的時候去受那種相思之苦！而且，我告訴你，服兵役的時候最容易失去女朋友，沒有幾個女孩子能忍耐寂寞，能抗拒誘惑。韓青，』他還特別加重語氣。『尤其是你那位袁嘉珮，你一天二十四小時盯着她，她還要偶爾動搖一下，等你走了，更不可靠了。袁嘉珮，』他搖搖頭：『那女孩太聰明，太有才氣，太活躍，又太受人注意！韓青，你該找個平凡一點的女孩，那麼，你會少吃很多苦！』

吳天威，在同學中，他是比較沉默寡言的，很少發表什麼大意見。但是，這幾句話說得却頗有道理。

當這離別前夕，他注視着鮀鮀時，吳天威的話就在他腦海裏翻騰又翻騰。鮀鮀望着他，雙眸盈盈然如秋水，面頰被酒染紅了，那麼可愛的嫣紅着，嘴唇的弧度一向是他最喜愛的，連那用手指繞頭髮的小動作……唉，一顰一笑一蹙眉，都是『動人心處』！前人的詞句裏有『其奈風流端整外，更另有，動人心處！』實在是寫得太好了。唉！他心裏嘆着氣，或者，他真該去愛一個平凡一點的女孩！免得如此牽腸掛肚，難捨難分。

『鴕鴕，我眞不放心妳，眞不放心！』

『別這樣，』她咬咬嘴唇。『我會很乖。我已經跟爸爸說了，七月一日起，我就去爸爸公司裏上班，去管一些外銷翻譯打字之類的工作。你走了，我的白天會變得太漫長了，只好用工作去塡滿它！』

鴕鴕的父親，從軍中退役後，開了一家玩具公司，一直做得非常好，最近，已大量接受國外的訂單了。女兒去父親的公司上班，應該是最沒問題的。可是，韓青還是一百二十萬個不放心，不放心，不放心。

『妳爸爸公司裏，有多少男職員？』他憂心忡忡的問，一本正經的。

『哦，韓青！』她愕然的說：『你還不相信我？你以爲我見到任何男人都會喜歡嗎？』

『我不是怕妳喜歡別人，我是怕別人太喜歡妳！』他嘆着氣說。

『別人喜歡我，應該是你的驕傲才對。』她說：『只要我心裏只容你一個。』

『妳是嗎？』

『當然是！』

『永遠嗎？』

『永遠。』

『不變嗎？』

『不變。』

『不受誘惑嗎？不被迷惑嗎？倘若妳被迷惑了……』

她的頭低垂了下去，不說話了，生氣了。

『唉唉！』他嘆氣。『我知道我不該說，我知道我不該不信任妳！但是，我就這樣煩惱，我眞不知道，假若我失去妳，我怎麼活！』他握起她的手。『不要生氣，請妳不要生氣，求妳不要生氣……』

她抬起頭來，眼中淚汪汪的了。

『是不是也要我切開手指，寫封血書給你呢？』

『不要！千萬不要！』他燃起一支煙，猛抽着，桌上的煙灰缸裏，已經堆滿了煙蒂了。『妳知道，』他忽然說：『我一直對於一件事，非常不解。』

『什麼事？』

『妳的家庭。』他噴出一口煙霧，注視着煙霧後面，她那張在朦朧中更顯得娟秀的面龐。『我常常想，我早就該在妳家庭中露面了。妳看，我們相交相識相知相愛已長達二十個月，妳父母還根本不知道世界上有個我。』

『你怕不被我父母接受嗎？』她沉吟了，深思着，終於長嘆了一聲。『韓青，你願意忍耐嗎？我爸爸是個好父親，但他的教養，他的高貴，使他不見得能瞭解我和你這段感情。何況，他的事業好忙，我眞不忍心再用我的事情來煩他。我媽——你也知道，她是個典型的賢妻良母，善良有餘，瞭解力却不夠深，她不是個很能和兒女溝通的母親。我怕他們知道我倆的事以後，反而變成我倆間的阻礙。韓青，你將來只要娶我，不必娶我整個家庭的！』

男人是多容易滿足啊！僅僅這一句話，他就渾身都輕飄飄了。他握緊她的手，握得她發痛。

『這是諾言嗎？』他問。

『這是。』她肯定的。『我將來要嫁給你，而且，我要做個最好最好的妻子，如果我曾做過些什麼讓你不滿意的事，讓我將來補償你，我要讓全天下的男人都羨慕你，嫉妒你，因爲你有這麼好的太太。』

他停住呼吸，對她急急的說：

『快拿氧氣筒來，我不能呼吸了！』

她想笑，淚珠又在眼眶裏打轉。然後，她用手掠掠頭髮，悄悄揮去了睫毛上的一滴淚珠。

『哎！』她振作了一下，挺直背脊，笑起來。『我們兩個是不是有點傻氣？你不過是去服兵役，又不是要到非洲去，服役時還有休假，只要你休假，通知我，我馬上去見你！不管你的基地在台南台中花蓮或是月球上！』

『我怎麼通知妳呢？妳又不許我直接寫信到妳家。』

『寫限時專送，寄給方克梅，小方會馬上通知我的！如果可以打電話，打給小方，假若你的基地能通電話，我也會打給你！』

『我們一定要經過小方嗎？我現在去拜訪妳父母不行嗎？』

『如果你要把事情弄糟，儘管去！』

『戀愛是件不能見人的事嗎？』他有些不平。『在我家裏，我們兩個那張合照，一直掛在我房間裏，妳應該跟我回屏東去看看！』

『哎，別提那張照片了，我照得那麼醜，你也把它掛出來！你一定要向你父母聲明一下，我本人比照片漂亮！』

『我父母對照片已經夠滿意了。不過，妳願意本人去亮相一下，就更好了！這樣，明天跟我回屏東吧！怎麼樣？』他忽然興奮起來。『就這麼做！妳告訴妳媽，去參加夏令營什麼的。跟我去屏東吧！跟我去吧！』

『別胡鬧了！』她說：『我才不去呢！時機未到。』

『時機什麼時候才到呢？』

『等你服完兵役。你看，上帝幫我們把一切都安排好了，我下學期大四，夜校讀五年，等你退役，我也畢業了。那天吳天威還對我說 Just make！』

是嗎？上帝把一切都安排好了嗎？韓青想到『上帝』，就禁不住聯想起徐業偉，想起自己在沙灘上仰天狂叫的那夜。不不！今晚不能想那件事，決不能！他摔了摔頭，摔掉那份椎心的痛楚。摔不掉的，是對上帝的懷疑。唉！上帝，不管祢多忙，不管祢把人生安排得多麼亂七八糟，請照顧我的鴕鴕吧！這只是個小小的請求啊！照顧她不要生病，不要生氣，不要變心……變心，噢！他猛烈搖頭，爲什麼一定要想起變心兩個字呢？

『你怎麼回事？』她希奇的看著他。『一會兒點頭，一會兒搖頭，一會兒摔頭……嘴裏嘰哩咕嚕的唸經，我看你神經有點問題了，是不是？』

『是！』他嘆氣，攬緊她，用全身的力量去吻她。『我已經瘋了！爲妳瘋了！我眞的爲妳瘋了！我從來不知道，我會爲一個女孩瘋成這樣子！簡直不可救藥！』他更重更重的吻她。『鴕鴕！妳只是個小鴕鴕，怎麼對我有這麼大的力量呢！怎麼會呢？』

這種愛的語言會讓人醉，這種愛的接觸會讓人瘋。於是，在這離別前夕，他們繾綣又繾綣，直到深夜，直到夜闌。然後，他必須送她回家了。她去洗手間梳洗，好半天才出來，他看她，總覺得她在離別前夕，表現得比他堅强，可是，她從洗手間出來時，眼睛却是腫腫的。

把她送了回去，再坐計程車回來。小屋子靜悄悄的，租期已滿，他明天走後，不會再住這間小屋了。但是，這小屋中曾盛載了多少歡樂，多少柔情啊，他環室四顧，忽然發現枕上有張紙條，拿起來一看，却是鴕鴕留下的一張短箋：

『青：

我最摯愛的人，我對你眞摯得可以把心剖開以鑑日月，你怎麼還不相信我？怎麼還不相信？

我剛剛跪下祈求神，我願少活十年歲月，只要我能擁有你，今生今世。我不求些什麼，名利都是身外之物，我只希望和你在一起，永遠，永遠。我這份心，這份情，你怎麼還不相信？

我知道我的心志脆弱，願神堅强我！願神不要給我們太多的磨鍊，阻難，因爲我們原本平凡！

青，信任我！愛我！我需要你，我好怕！我太在乎你了，我好怕失去你，決不亞於你怕失去我！我眞不知道怎麼辦？如果有一天我失去了你！

青，你要回來娶我！你一定要回來娶我！我等你，我一定等你！

但是，請不要再懷疑我，你的懷疑像拿刀子剜我的心，你怎麼可以這樣殘忍？

我一字一淚，若神天上果有知，願祂成全我的心願，我願棄名利，拋世俗，只願與你比翼雙飛，此生此世。

摯愛你的鴕鴕　六、廿四、深夜』

原來，她在洗手間裏寫了這張條子！韓青唸完，全身的血液就都衝到腦子裏去了，心臟因爲强烈的自責而痙攣了起來。又因爲强烈的感動而痛楚起來。他打開房門，奔下三樓，衝到大街上，必須打電話給她！必須！他奔往電話亭，最近的電話亭要走十五分鐘！該死，怎麼腳底又痛了呢，低頭一看，又忘了穿鞋子了！如果再被玻璃割到，是你的報應！韓青，是你的報應！你怎麼可以對鴕鴕那麼殘忍，那麼殘忍呢！

到了電話亭，管他幾點鐘了，管他會不會吵醒袁家二老！他迫不及待的撥了那個號碼：七七三五六八八。

電話鈴才響，就被接起來了，是鴕鴕！聰明若她，早就知道他會打電話了。

『鴕鴕！』他喉中哽塞着：『原諒他！原諒那個殘忍的、該死的、害疑心病的混蛋吧！原諒他是愛得太深，愛得太切，以至於神志不清吧！』

電話那頭，傳來鴕鴕的低泣聲。

『鴕鴕！』他急切的喊，下意識的拉緊電話線，好像她在線的那頭，可以拉到身邊來似的。

『妳再哭，我五臟六腑都碎了，脚也爛了。』

『你……你……你什麼？』她不解的、嗚咽的問：『脚怎麼……怎麼也會爛呢？』聽過心碎，可沒聽過脚爛的。

『我跑到電話亭來打電話，又忘了穿鞋了！』

『啊呀！』她驚喊。『你……你……』她簡直說不出話來：『你眞……眞氣死我！你的脚破了嗎？』

『不知道，只知道心破了。』

她居然笑出來了。

哦，此情此景，箇中滋味，難繪難描，難寫難敍。除非你也愛過，除非你也經歷過，你才能體會，你才能瞭解，你才能相信！

17

七月二十四日過去了。韓青和鮀鮀認識滿二十一個月。

八月二十四日，他們認識滿二十二個月。

八月二十六日，韓青北上，報到服役。在北部某基地受了極艱苦的一個月訓練後，再被分發至中部某基地去正式服役，這期間，他根本沒有機會見到鮀鮀，即使休假，也只有幾小時，事先不一定知道確切休假時間，聯繫起來，更加困難。相思，相思，這才瞭解什麼叫相思。

韓青開始他一年零拾個月的兵役。

鮀鮀開始走入社會，她進了父親的公司，非常認眞的工作起來，她的活躍，她的能幹，她的才華忽然間在工作中完全展現，從業務到外交，她居然成了父親的左右手，成了公司中人人矚目的對象。

韓青荷着槍，在野地中滾滾爬爬。

鴕鴕提起筆，寫下她對韓青點點滴滴的思念，千千萬萬的允諾，這段期間，信件成了他們之間最大的橋樑，也只有從這些信中，才能讀出鴕鴕的內心世界。

十月二十四日，是他們認識兩週年的紀念日，她寄來一封長達四頁的長信，從相識，到相愛，她從頭細數，從頭細訴，他邊看邊回憶，邊看邊落淚。誰說男孩子不該掉淚？誰說背上一桿槍就不再兒女情長？那封文情並茂的信，最讓他感動至深的是最後一段：

我終於瞭解我不能沒有你，因爲沒有人和你一樣。沒有人和你一樣，把我捧在頭頂上供奉着。沒有人和你一樣，當我病痛時對我呵護又呵護，叮嚀又叮嚀。沒有人和你一樣，喜歡寫詩一般的小箋給我，親手做一大堆的裝飾品給我。沒有人和你一樣，能忍受我的任性愛哭及隨時可能發生的情緒問題。沒有人和你一樣，不惜用任何方法，讓我多吃一些長胖一些。沒有人和你一樣，體會到我心深處的每個思想。沒有人和你一樣，完全接納我，包容我，讚美我，讓我自覺得是個可愛迷人的小女人，讓我自認爲是完美的化身。我完全快樂，喜悅得如同一隻百靈鳥一般。而這一切的一切，都是你所給予的，我不能沒有你，因爲你是唯一的男孩。

看了看手心中的婚姻線，你我的都又深又長。我堅信如此。青，趁我們年輕時，讓我們好好相愛，直至永遠永遠，當有一天，我們的兒孫環繞在跟前，纏着問我們當年相識的情景，讓我們得意的告訴他們，我們曾如何相識，相知，並相愛。

鮀鮀寫於相識兩週年

這就是力量的泉源，這就是生命的原動力，這就是他的燃料，他的希望，他的一切。操練不苦，行軍不苦，荷槍不苦，野戰不苦……鍛鍊吧！鍊成鋼一般的身體，鐵一般的意志，然後和你心愛的女孩，共同携手去創造最美麗的前程。於是，在那些操練、行軍、野戰……的日子裏，他咀嚼着她的信，回味着她的信，默誦着她的信，直至每字每行每個標點，都已可以倒背如流。

十一月二十四日，是他們認識二十五個月的紀念日。

韓青用了好大的功夫啊，他參加拔河比賽，把手上的皮都磨破了，給隊上爭了個第一名。他參加各種活動，那麼積極，那麼賣力，終於，他爭取到了一天半的休假。

飛躍吧！讓靈魂飛躍吧！讓靈魂飛躍吧！鮀鮀，妳使我雀躍。生我者父母，知我者，鮀鮀，唯妳而已！唯妳而已。走出營區，已經是黃昏時分了。立即撥長途電話到台北，無法經過小方轉達了，他直接撥到她上班的玩具公司去，經過接線生，經過不相干的好多人，好不容易接通了鮀鮀，他才說了句：

『鮀鮀！等我，我搭今晚夜車去台北……』

咔嗒一聲，線路斷了。他找銅板，再掛長途電話過去，這次，鮀鮀立刻接起電話，想必，她正在電話機旁邊等着呢！他不敢說太多，怕斷線，只簡單的告訴她：

『我明天早晨八點鐘到台北，妳來火車站接我，好嗎？我下午就要乘車趕回營區，所以，我們只有五小時可以在一起！總比沒有好，對嗎？見面再談！我愛妳！』

然後，他們見面了。在火車站，她飛奔着向他撲來，完全不管有沒有人看見，她穿了件黑色鑲金花的毛衣，一條牛仔褲，又蕭灑，又雅致，又華麗，又高貴……他緊擁着她，擁着屬於他的這個世界，她也依偎着他，眼睛濕濕的，他們互看又互看，打量着對方是胖了，還是瘦了，是黑了還是白了。啊，互看又互看，彼此的眼光，訴盡了這些日子以來的相思，他眞想找個地方吻她，吻化這幾個月來的相思。

因爲只有五小時，他們什麼地方都不能去，往日的小屋也早就退租了，換了主人了。最後，他們只能找了家咖啡館，坐下來，手握着手，眼光對着眼光，心靈碰擊着心靈。

時光匆匆，實在匆匆。坐了沒多久，她遞給他一張紙條，自己去洗手間了。他打開來，就着咖啡館裏幽暗的燈光，看到她用淡淡的鉛筆寫着：

青，青，青：

小心別給人看到了。（所以我才用鉛筆寫。）

你打完第一通電話時，我在電話旁等了許久許久，我以爲你一定不會再打來了，我難過得淚水都幾乎奪眶而出，我突然發覺若我無法見到你，我會難過得立刻死掉，因爲你的一通電話完全打擾了我的思緒，我簡直無法繼續去上班。

現在是零時零兩分，耳朵好癢，會是你嗎？一定是。我好想你，可知道？特別是情緒低潮的時候，淚水總是伴着思念滴落在枕邊。

再過八小時就可以看到你，我會好開心的。可是再過幾小時，你又得走了！啊！天，我一定會難過死，我懷疑我是否還能回辦公廳上班。答應我，如果你看時間差不多了，你掉頭就走，不要和我道別，不要讓我在別人面前掉下淚來。好嗎？

鮀鮀　一九七九・十一・廿四・凌晨

等鮀鮀從洗手間出來，韓青一句話沒說，拉起她的手，就往咖啡館外面走。

『你帶我去那兒？』她驚問。

他叫了一輛計程車，直馳往海邊。

『你會趕不及回營，』鮀鮀焦慮的。『你會受處分！你會被關禁閉！』

『值得的，鮀鮀，值得的！』

他們終於又到了海邊了。以往，鮀鮀只要情緒低潮，一定鬧着去看海，現在，他們又在海邊了。十一月底，天氣已涼，海邊空曠曠的杳無人影，他終於擁她於懷，吻她，又吻她。吻化這幾個月的相思，吻斷這幾個月的相思，吻死這幾個月的相思。可是啊，又預吻了未來的相思，那活生生的、折磨人的、蠢動的、即將來臨的相思。

五小時匆匆過去。

又回到等信、看信、寫信、背信、寄信……的日子。韓青有時會想到古時的人，那時沒有郵政，沒有電話，一旦離別，就是三年五載，不知古人相思時能做些什麼？如果沒有信，沒有電話可通，這種刻骨刻心的思念，豈不要把人磨成粉、碾成灰嗎？

第二年（一九八〇）來臨的時候，鮀鮀的信中開始充塞着不安的情緒，她常常在信封上寫下大大的ＳＯＳ，信內又沒有什麼重要的事。她埋怨白天上班，晚上上課的日子太苦了。又立刻追一封信說忙碌使她快樂，使她覺得被重視。她會一口氣同時寄三封信來，一封說她很快樂，準備積一些錢，以便結婚用。一封說她很憂鬱，想要大哭一場。另一封又說她是個『情緒化』『被寵壞』的壞娃娃。要他放寬心思，別胡思亂想。

可是，他是開始胡思亂想了。鮀鮀啊，願妳快樂，願妳安詳，願妳無災無病，願妳事事如意，願妳千萬千萬千萬……不要受誘惑，不要被迷惑啊！

他寄去無數的信，限時專送，限時專送，限時專送！郵差先生這些日子一定忙壞了，因爲世界上有這麼兩個傻瓜，要寫那麼多信哪！

不過，鮀鮀雖然有些不穩定，她仍然會在每月二十四日，寄來一封甜甜蜜蜜的信，或寄來一張問候卡，或是一首小詩。其中，以第二十九個月的紀念日，她寫來的信最別出心裁，最奇特。

她用了兩張信箋，分別摺疊，第一張竟是篇半文半白的『作文』，寫着：

……晨起時，見陽光普照，念起同樣的陽光，洒在彼此身上，妾心不禁歡喜。近面南風陣陣，不知有否郎君訊息？妾仰身低問流雲，是否將萬般思念捎給遠方情郎，衆鳥聽得一旁高聲啼笑，妾身羞得紅着臉躲進花叢。……更聽得樂聲響起，記起往日歡樂時光，情何以堪？

抬頭見得明月高掛，妾不禁凝視，合十祈願；願君是明月，妾是寒星緊伴，朝朝暮暮，暮暮朝朝。忽見湖水盪漾，水中月影如虛如實，手觸即及，不禁了悟，正是

『無一藏中無一物，有花有月有樓台。』

隨着這封短文，她的另一張信箋，竟是對這篇文章的一篇大大讚美歌頌之辭，一一引證全文的『起承轉合』有多麼美妙，多麼動人。唯一的缺點，是『半文半白，似通非通』。可是，把『相思』『懷人』『睹物』種種情思，轉入禪學的『無一藏中無一物，有花有月有樓台。』畢竟是『天才之作』！

韓青把這封怪信，仔仔細細、研讀再三。他不能不佩服鮀鮀的才氣，不能不佩服她自誇自詡

的幽默感。可是，那文中最後幾句，不知怎的，就讓他有些膽戰心驚，不安已極。水中月影，觸手可及。鴕鴕啊，妳到底要說什麼？鏡花水月，畢竟成『空』呀！鴕鴕啊，妳到底要說什麼？他狠命搖頭，就是搖不掉心裏的陰影。鴕鴕啊，但願我在妳身邊，但願妳觸手可及的，不是水中之月，而是實實在在的韓青吧！

五月廿四日，是認識三十一個月的紀念日。鴕鴕的來信很短：

青：

想你在無盡的相思裏。撥電話給你，總是佔線，接線生啊，你可知道我是多麼想聽到那令我如此思念的人的聲音？你可知道這電話對我有多重要？它維繫着彼此，從這一頭到那一頭，從這顆心到那顆心。

青，能再給我一次保證嗎？告訴我你愛我，告訴我你永遠不會改變這份愛。青，我心情好亂，也許今天我會去海邊走走，回來之後，可能就沒事了。原諒我心情不穩。

愛你的鴕鴕　於一九八〇、五、廿四、定情日有什麼事不對了！有什麼事發生了！韓青知道，韓青每個細胞都知道。和鮀鮀相知相愛已三十一個月，她思想的每根纖維，她情緒的每種轉變，他怎會不瞭解？他怎會不知道？當她需要『保證』的時候，就是她最脆弱的時候，當她最脆弱的時候，就是有第三者侵入的時候……老天！他仰首看天，不要太不公平，不要發生在這種時候！他不怕考驗，不怕挑戰，不怕競爭。可是，要給他公平的機會，要讓他在她身邊呀！

他一連寄出五封信給她，保證，保證，保證，保證，保證，保證！保證再保證！保證不夠，他又試着打電話給她，營區中打長途電話十分困難，他試了又試，試了又試，最後，接通了，附近全圍着人，他想說的話，一句也說不出口，她那兒一定也都是人，因爲辦公廳裏人聲嘈雜，最後，他只對着電話喊出一句：

『鮀鮀！妳知道麻雀是怎麼飛的？』

鮀鮀在哭了，電話那頭有飲泣聲。

『鮀鮀！』他再喊，充滿了堅定與不移。『我想，我又處於低飛狀態了！但是，我不氣餒，永不氣餒，當我振翅高飛的時候，我一定帶着妳一起飛！』

十天之後，鮀鮀的來信中有這樣一段：

感謝上天讓我認識了你，你使我的感情生涯從此轉變。

你那麼瞭解我，我比任何一個少女都善變，自小就有難以捉摸的個性，更有着喜新厭舊的毛病！如果不遇到你，我的感情不知還在何方流浪？

你來了，像是一個從電影小說裏走出來的人物，帶着滿身心的熱愛與執着。我不流浪了，伴着你，我將追隨你飛向海天深處！

他把信箋放在胸前，緊貼着心臟。鮀鮀啊！必須給我這麼多考驗嗎？必須給我這麼多磨難嗎？但是，只要有比翼雙飛的那一天，我什麼都接受！什麼都接受！

18

認識鮀鮀三週年的紀念日，又在兩地相思中過去了。

新的一年，又在兩地相思中來臨了。

算一算，兩個人的信件已經積了一大箱，而思念是無邊無垠無法度量，無可計數的東西。在這些日子裏，他們並不是從不見面，只要有休假，兩人就想盡辦法在一起，只是，見面時，時間苦短。不見時，時間就漫長得像是停滯着的了。

一月過去了。

二月過去了。

韓青已開始屈指計算退役的日子，已開始計畫退役後第一件要做的事；去正式拜見鮀鮀的父母，提出求婚。婚姻，嗯，這是件大事，他必須先找到工作，不能讓鮀鮀吃苦，她是那麼嬌弱而尊貴的！他一定要給她一個最安樂最安樂的窩。第一次，他開始認眞思索；安樂窩是否需要金錢來墊底，還是僅僅有『愛』就夠了？現實的問題接踵而來，如果和鮀鮀成婚，是住在屏東老家呢？還是定居台北？屏東家中，雙親年邁，一定希望身爲長子，唸完大學的他，能在老家裏定居下來，生兒育女，讓父母滿足弄孫之樂。但是，鮀鮀肯嗎？鮀鮀願意嗎？想到把鮀鮀那樣一個詩情畫意的女孩，帶到屏東小鄉鎭的雜貨店裏去。不知怎的，他自己也覺得不諧調。

那麼，他將爲她留在台北了？台北居，大不易！他總不能租一間水源路那樣的房子，來做爲他們的新巢吧！所以，現實問題還是現實問題，退役之後，第一件事，是去找一個高薪的工作！

就在韓青計畫着未來的時候，鮀鮀的情緒似乎又進入低潮了。然後，三月間，韓青接到一封眞正把他打進地獄裏的信：

青：

這是封好難下筆的信，我猶豫好久，仍然好矛盾，我不知道該不該對你坦白？告訴你徒增你的擔心及困擾，不告訴你我心裏有鬼，總覺得欺騙了你。青，我不曾欺騙、隱瞞你些什麼，是不是？我心裏好煩好悶，我多想丟掉手邊的一切去郊外散散心，我多盼望投入你懷裏好好的哭一場，我有好多委屈想一吐為快。青，我一直好信賴你，視你為我生命中的基石，每當我有了心事，我第一個總是想到你。青，你可曉得此刻我有多想你。

以下是一篇『懺情書』，當着神的面前，我願發誓，這懺情書裏，句句出於內心話，絕無虛言。

神啊！請幫助我！賜與我力量，讓我能更堅定我的意志，神啊，其實我也知道我是在自尋煩惱的，這世界上有個人這麼愛我，我又這麼愛他，又有什麼好煩惱呢？至於那個多事的第三者，拒絕他就是了！這不是很簡單的事嗎？是的，我該滿足的，『有人追總比沒人要好』，忘了誰跟我講的。可是，有沒有人曉得我好疲倦？神啊，我已經嘗試了多次考驗了，請憐憫我，不要再考驗我了，好嗎？祢明知我不過只是個凡人，又何必非要測驗出我受不了誘惑為止呢？

偶爾，我也愛自我嘲諷我是個『不甘寂寞』的人，可是，神，祢該比任何人都清楚，我有着深深的自戀狂，我喜歡把自己裝扮得漂漂亮亮的，我享受那份自我炫耀。我當然也像任何人一樣喜歡人們欣賞我，讚美我，我樂意如此。可是，神，『他』實在讚美得太過份了，我是指那個第三者——柯。祢知道的，我一共只見了他三次面，他實在不該如此說的，我的心好惶恐，我好想躲得遠遠的。神啊，是祢在考驗我嗎？爲什麼才見第三次他就向我求婚呢？而且，爲什麼他就跟我發誓呢？他說要我認眞考慮……神啊，祢知道，我心底一心一意只要跟一個男孩子，我實在容不下另外一個人。神啊，讓我感到愧疚和惶恐的，是爲什麼我衷心愛着一個人時，却對另一個存着幻想呢？歐洲的風景，獨棟的別墅，……哎喲，神，祢看他用什麼來誘惑我？而我，居然如此凡俗，如此貪婪，如此虛榮！原諒我啊，神，請純淨我的心吧！否則，祢叫我如何面對我心愛的人？我不能告訴他，我愛他，可是，却一方面幻想着另一段羅曼史？

神啊！其實祢是知道的，這些年來，我面臨過多少次誘惑，可是，我都會回到韓青身邊去的，我把一切都交給了他，我不能失去他，我也不願離開他，而我更不能傷他的心。我心裏清清楚楚的曉得，可是，神啊，祢爲什麼偏偏派我和柯談生意呢？那應該是我老爸的事啊！爲什麼呢？

神啊，願祢代我託夢給青，告訴他，我愛他，告訴他，請他原諒我，告訴他，我還是會回到他身邊去的，請祢務必轉告他，一定，一定！

神啊，感謝祢，經過這一番懺情以後，我覺得心中舒暢了不少，我又尋回了我的路途，其實，我不曾迷路，只是路途中霧氣重了些，而岔路又多了些，如此而已。

青，前面是我跪在神前的祈禱詞，我源源本本的寫下來，在你面前披露我的內心世界。青，不要又胡思亂想起來。我還是那個在水源路跟你發誓的鮀鮀，只是我好累好累，好脆弱好脆弱，又好想你好想你！你知道，我就是那樣一個不能忍受寂寞的女孩！救我！青，救我！救我！

鮀鮀　三、廿二、凌晨

韓青把這封信一連看了好幾次。然後，他衝到連長面前，用一種令人不能抗拒的神色，請求給假三天。在軍中，請假不是件容易的事，除非你說得出正當的理由。但是，韓青那種不顧一切的堅決，那種天塌下來都不管的神態，以及那種形之於色的沉痛，使那好心的連長也心軟了，於是，他居然奇蹟般的請准了假。

沒有打電話給鴕鴕，他直奔台北。火車抵達台北，已是萬家燈火了。在車站打電話到玩具公司，早已下班了。他想了想，毅然的叫了一輛計程車，叫司機馳往三張犁。

三張犁，那棟坐落在巷子裏的兩層樓房，韓青曾屢屢送鴕鴕回來過，每次站在巷口，目送她進門，她總會在門口，回頭對他揮揮手。現在，那棟房子就在面前，裏面迎接他的，不知是福是禍，但是，他從沒有比現在更清醒過，更堅定過，他知道他要做什麼，做一件他早就該做的事，敲開這房門，然後走進去，去面對那個家庭。那個他生命中必將面對的一切，鴕鴕，和她的家庭。

他走過去，按了門鈴。

開門的是個十四、五歲的女孩子，剪到齊耳的短髮，穿着國中的制服，不用問，他也知道，這就是鴕鴕的小妹，大家叫她小四。小三已讀高中，老二是家裏唯一的男孩。奇怪，韓青對他們全家都那麼熟悉，而這全家却都不認識他。小四用驚愕的眼光看着他，問：

『找誰?』

『袁嘉珮。』他簡單的說。『妳姐姐。』

『她還沒回來呢！她陪客人吃飯去了，你是誰？』

陪客人吃飯去了！是那個在歐洲有別墅的『柯』了！韓青的心沉進了一個不見底的深淵，但他却往前邁了一大步，走進院落，走向裏面的房門。

『小四！』他清楚的說：『告訴妳爸爸和媽媽，說有個名叫韓青的人要見他們！』

『你怎麼知道我是小四？』女孩驚訝萬狀。

『不止知道妳是小四，還知道妳叫袁嘉琪，小三叫袁嘉瑤，老二叫袁嘉禮。妳正唸國三，暑假要考高中。』

『你是誰？』小四笑着嚷。又驚訝又好奇，眼珠骨碌碌轉，有幾分像鮀鮀。

『我是……』他想了想。『我是韓青，妳未來的姐夫。』

『啊呀！』小四驚呼，用手蒙着嘴，返身就往屋內跑，一面跑，一面大聲喊着：『媽！媽！有個阿兵哥，說他是我的姐夫，來找大姐了！』

這一喊，把整個屋子的人都驚動了，一陣零零亂亂的脚步聲，首先跑出來的，是個胖胖的中年婦人，不用問，韓青也知道，這就是鮀鮀的母親了。她高大，整潔，不施脂粉，眉目間，有那麼種凛然不可侵犯的樣子，站在那兒，她滿臉充滿了驚愕與不解，雙目炯炯的，帶着無限懷疑的盯着韓青。

『你是什麼人？』她冷冷的問。

看樣子，他要對每個人重複自己的身分，他眞想一次解決這種考問。他脫下軍帽，點了點頭，說：

『伯母，我是韓青，請問伯父在家嗎？我可不可以進來向你們慢慢說！』

袁太太盯着他，或者是他臉上那種堅決，或者是他眉宇間那種迫切，使這位母親讓開了身子。他走了進去，立刻，他就被許多眼光所緊盯着了，小三出來了，老二出來了，小四還沒走，而鮀鮀的父親袁達——一位極具威嚴及風度的中年人，正站在客廳正中間，一瞬也不瞬的盯着他。不愧是軍人出身，袁達看起來還很年輕，腰桿挺直，肩膀寬厚，眼光凌厲。

『你說你是嘉珮的朋友？』他銳利的問。

『是。』他很快的回答，自己也不知道從那兒來的膽量。『我和嘉珮——』眞怪，叫慣了鮀鮀，再稱呼『嘉珮』似乎太陌生了。『在民國六十六年十月二十四日認識，到這個月二十四日就滿了四十一個月。我畢業於文化大學勞工關係系，目前正在服兵役，七月就要退伍了。我早就該來拜見伯父伯母，只是鮀鮀說時機未到。我想，我不應該再遷延下去，因爲，我必須來告訴你們，我深愛着你們的女兒，而鮀鮀，也深愛着我。我們準備在我退役以後結婚！』

這篇話顯然震驚了每一個人，室內突然間變得好安靜，大家都呆呆的瞪着他，好像他是個乘坐飛毯，從天而降的童話人物。好半天，袁達才重重的咳了一聲，指指沙發，命令似的說：

『坐下！』

他坐下了。袁達燃起一支烟，一時間，似乎不知該怎麼辦好，韓青顯然給了他們一個太大的意外。然後，他忽然就生氣了，回頭瞪視着那呆若木鷄的妻子。

『很好，』他對太太點着頭：『我在外面忙事業，妳在家裏做什麼？嘉珮的一舉一動，來往朋友，妳注意過沒有？這下子，好極了！有個陌生人就這樣堂而皇之的走進來，通知妳，他要和妳女兒結婚……』

『這……這……這……』袁太太張口結舌：『你怎麼怪起我來了？你該去問嘉珮呀！嘉珮從唸大學，就沒停過交男朋友，誰知道這位這位……這位……』她盯着韓青。

『韓青。』韓青再重複了一次，抬眼望着兩位長輩，他身子筆挺，眼光堅決，聲音穩定，每一個字，都像金鐵相撞，鏗然有聲。『我知道你們不認得我，我知道你們根本沒聽說過我，我知道你們又驚奇又憤怒，我知道你們也不打算接受我。可是，我一定要告訴你們，鮀鮀和我相識相知相愛，我們也經過一大段艱辛的心路歷程。這些年來，她胃痛，我給她買藥，她心情不好，我帶她看海，她感冒，我陪她看醫生，她唸書，我陪她查字典，她考試，我陪她溫功課，她快樂，我陪她上天堂，她悲哀，我陪她下地獄！能相聚的每分每秒，我們聚在一起！不能相聚的每分每秒，我們的心在一起，今天我敢站在這兒，我敢面對你們兩位，只因爲鮀鮀給了我一封信，她在向我呼救！我不能不來！不管現在她在什麼地方，不管那個跟她在一起的人有多麼優秀，有多麼傑出，他絕對抵不上我愛鮀鮀的千分之一，萬分之一，萬萬分之一！所以，我來了！我來救鮀鮀，也救我自己！因爲，萬一她不幸，我會比她更不幸！』

袁達夫婦愕然對視，說眞話，他們對韓青這一大篇話，幾乎根本沒有聽懂，也根本沒有弄清楚，更攪不明白，他爲何要救鮀鮀，又爲何要救他自己。

在韓青滔滔不絕，侃侃而談的時候，誰都沒發現，鮀鮀已宴罷歸來。她一走進客廳，看到韓青，她整個人就傻了，像被釘子釘在那兒一樣動也不能動了。

然後，她聽到了韓青這篇話，看到了他眉端眼底的堅決。如果全世界的人都不瞭解韓青，都看不到他講這篇話時，他的心在如何滴着血，那麼，就只有一個人可以瞭解，可以看到，可以感覺，可以和他一起滴血……那就是鮀鮀了。聽到這兒，她再也忍不住了，張口呼喚：

『韓青！』

韓青一下子回過頭來，和鮀鮀的目光接觸了。在這一刹那間，如電光與電光的交會，兩人心中都震動得怦然而痛。世界沒有了，天地沒有了，父母不存在，小三小四都不存在……他們只看到彼此，看到彼此痛楚的心靈，看到彼此燒灼的心靈，看到彼此煎熬的心靈，也看到彼此熱愛的心靈……

『韓青！』鮀鮀再喊了一聲，面孔白得像紙，淚水迷濛了視線，思想混亂成了一團，迷糊中，只覺得自己那麼可鄙，居然寫那封該死的信給他！後悔，慚愧，惶恐，感動……一下子齊集心頭，她昏昏然的伸手給他，昏昏然的說了一句：『懲罰我吧！罵我吧！責備我吧！我不知道我做了些什麼……』

『別說！鮀鮀！』韓青站起身子，張開了手臂：『不能把妳保護好，是我的過錯！不能讓妳遠離誘惑，是我的過錯，不能讓妳在需要我時，守在妳旁邊，是我的過錯！不能在妳寂寞時慰藉妳，在妳脆弱時堅強妳，在妳疲倦時安慰妳……都是我錯！都是我錯！』

她立即飛奔而來，撲進了他懷裏。痛哭着把臉埋在他那寬闊的、男性的胸懷裏。他緊擁着她，閉上眼睛，下巴掩進她那又黑又密的長髮中。

袁達夫婦是完全傻了，然後，袁太太才發現似的對小三小四大吼：

『進去！都進去！有什麼好看！小孩子不許看！』

那一對擁抱的人兒繼續擁抱着，對袁太太的吼聲恍如未覺，這一刻，除了他們彼此的心聲外，他們聽不到其他任何的聲音。

19

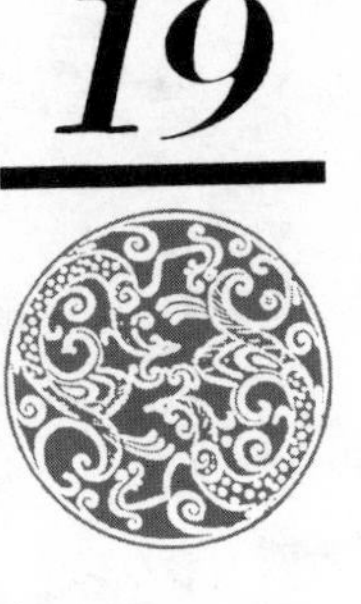

韓青又回到營區繼續服役了。

經過了三天的相聚，三天的長談，三天在袁家公開的露面……鮀鮀和韓青，好像在人生的路途上都往前邁了一大步。袁達夫婦，開始認眞研究起韓青來，把他的家世學歷來龍去脈問了個一清二楚，韓青坦白得可以，知無不言，言無不盡。當袁達夫婦知道他只是個來自屏東小鄉鎭的孩子，家裏在鎭上開著小店……夫婦兩個只是面面相覷，一語不發，韓青感到了那份沉重的壓力。他從不認爲自己的出身配不上鮀鮀，但是，袁家上上下下，連小三小四都投以懷疑的眼光。於是，他終於明白，鮀鮀說『時機未到』的原因了。而當袁達夫婦進一步問他對未來的打算時，他只能說：

『我會去找工作！』

『找什麼工作？』袁達銳利的問。

『大概是工商界的工作，我學的是勞工關係呀。』

『那麼，是拿薪水的工作了。如果你順利找到工作，起先你會列入實習人員，然後受基本訓練，正式任用，可能是一年半載以後，那時，你會成爲某公司的一個小職員，每月收入一萬元左右的薪水，再慢慢往上爬，爬上組長、課長、副理、經理……大約要用你二十年的時間。』

他瞪視著袁達。

『那麼，伯父，您有更好的建議嗎？』他問。

『我沒有。』袁達搖搖頭。『這是你的問題，不是我的問題。唸大學時，你可以向家裏要錢，你可以做臨時工賺生活費。婚姻，是組合一個家庭，你並不是只要兩情相悅，你要負擔很多東西，生活，子女，安定……和一切你想像以外的問題。我看，你慢慢想吧，你的未來，是一條很長很長的路！我只怕嘉珮，等不及你去鋪這條路！』

他回頭去看鮀鮀，鮀鮀默默無語。鮀鮀啊，妳怎麼不說話呢？妳怎麼不說話呢？難道妳不能跟我一起去鋪這條路嗎？然後，他又更體會出鮀鮀那『時機未到』的意義了。

袁太太是個自己沒有太多主張，一切都以丈夫的意志爲意志，丈夫的世界爲世界的女人。對於袁達，她幾乎從結婚開始就深深崇拜著。因而，對管教子女方面，她一向也沒有什麼主見。她心地善良，思想單純，是非觀念完全是舊式的。對於『人』的判斷，她只憑『直覺』，而把人定在僅有的兩種格式裏，『好人』和『壞人』。韓青忽然間從地底冒出來，嚴重的影響到她母性的威嚴，又讓她在丈夫面前受了委屈，她就怎樣也無法把韓青列入『乘龍快婿』的名單裏去了。何況，韓青的出現，還嚴重的影響到另一個追求者——柯，柯或者也不夠『好』，但是，畢竟是光明磊落的追求者，不像韓青這樣莫名其妙的從天而降，於是，她對韓青說的話就不像袁達那樣婉轉了，她會直截了當的問一句：

『你養得起嘉珮嗎？』

或者是：

『我們嘉珮還小，暑假才大學畢業，男朋友也不止你一個，你最好不要纏著她，妨礙她的發展！』

韓青簡直不知道該如何應對。

三天裏談不出什麼結果，韓青放棄了袁氏夫婦的同意與否，全心放到鮀鮀身上去。鮀鮀又保證了，又自責了，又愧疚了，又發誓了……他們又在無盡的吻與淚中再度重複彼此的誓言，再度許下未來的心願，鮀鮀甚至說：

『我只等著，等著去做韓家的兒媳婦！』

於是，韓青回到營區繼續服役。可是，他心中總有種强烈的不安，雖然鮀鮀流著淚向他保證又保證，他却覺得鮀鮀有些變了。她比以前更漂亮了，她學會了化妝，而一點點的妝扮竟使她更加迷人。她的衣飾都相當考究，眞絲的襯衫，白紡的窄裙，行動間，顯得那樣款款生姿，那樣楚楚動人。脖子上，她總戴著條細細的K金鍊子，上面垂著顆小小的鑽石。他甚至不敢問她鑽石是眞的還是假的。他握她的手，找不到他送的金戒指，她笑著說：

『我藏起來了，那是我生命裏最名貴的東西，我不能讓它掉了。』

很有道理。他還記得送金戒指那天，十二朵玫瑰花，她站在門外等他起床！足足等了四十七分又二十八秒鐘。也是那天，他把她從個女孩變成女人。

不能回憶，回憶有太多太多。

他繼續服役，鮀鮀的信繼續雪片般飛來：

——沒有遇到你，我不知何時才能結束『愛的遊戲』？我將如一隻倦鳥，找不到棲息的窩巢。

——沒有遇到你，我不知何時才能發現自己潛在的能力？是你激發並發掘了這塊原本是廢墟的寶藏。

——沒有遇到你，我如何曉得我原來也會如此的瘋狂的戀愛？你是那火種，點燃了我心頭的火花。

戀愛的句子總是甜蜜的，情書中的文字總是動人的。但是，韓青仍然不安，强烈的不安著。他知道，那個『柯』還留在台灣，還繼續著他各種的追求，鴕鴕來信中雖隻字不提，方克梅的來信中却隱隱約約的暗示著。方克梅，這個在最初介紹他們認識，和他們共有過許多歡笑、玩樂，也共同承擔過悲哀；失去的小梅梅，死去的小偉，瘋了的丁香……然後，又在他和鴕鴕的生命裏扮演橋樑，他從營區寄去的每封信，都由方克梅轉交。可是，方克梅自己，却在人生舞台上演出了另一場戲，另一場令人扼腕，令人嘆息，令人驚異而不解的戲。她和徐業平分手了。經過四年的戀愛，她最後却閃電般和一位世家子弟訂了婚，預計七月就要做新娘了。對這件變化，她只給韓青寫了幾句解釋：

如果徐業平能有你對嘉珮的十分之一好，我不會變，如果他也能正對我的父母，我也不會變。但是，四年考驗下來，我們仍然在兩個世界裏……

徐業平在東部某基地服役，寫來的信，却十分瀟灑：

我早跟你說過，我和小方不會有結果。這樣正好，像我們以前唱的歌，『你有你的前途，我有我的歸路。』我不傷心，自從小偉死後，我早知萬事萬物，皆有定數，別笑我成了宿命論者。我一點也不怪怨小方，對她，我只有無數的祝福，畢竟，我們曾如此相愛過。

這就是方克梅和徐業平的結果。

韓青還記得，在服兵役前，有天，他住在徐業平家裏。那晚，兩人都喝了點酒，兩人都帶著醉意，兩人都有心事和牽掛，兩人都無法睡覺，他們曾聊天聊到凌晨。

『業平，』韓青曾說：『我們將來買棟二層樓的房子，你和小方住樓上，我和鮀鮀住樓下。一、三、五你們下樓吃飯，二、四、六我們上樓吃飯。你覺得如何？』

『不錯啊！』徐業平接口：『我們四個還可以擺一桌呢！』

結果，方克梅和徐業平居然散了！居然散了！也是那晚，韓青還說過：

『我現在什麼都不擔心，就是擔心鮀鮀！』

『不要擔心她！擔心你自己！』徐業平說。『你比她脆弱多了！』

是嗎？韓青不敢苟同。注視著徐業平，想著鮀鮀和小方，兩種典型的女孩，各有各人的可愛之處，他不禁深深嘆息了：

『業平，我們兩個都一無所有，想想看，小方和鮀鮀為什麼會愛上我們？她們都那麼優秀，那麼出色！我們……唉！眞該知足了！不是嗎？』

徐業平沉默了，難道那時，他已預感到自己會和小方分手嗎？難道他已看到日後的結局嗎？他不說話，只是一個勁兒的抽煙，於是，韓青也沉默了。兩個好友，相對著抽煙，直到凌晨四時，徐業平才嘆口氣說：

『睡吧！』

第二天早上起來，兩人都一臉失眠的痕迹，徐業平問韓青睡得好不好，韓青說：

『正面躺，左面躺，右面躺，反面躺，都睡不著。』

徐業平嘻嘻一笑，說：

『我看你大概也站著躺吧！』

往事歷歷，如在目前。小方却和別人訂婚了。徐業平和小方本身，不管多麼瀟灑，韓青和鴕鴕，却都爲這件事消沉了好一陣子。『世外桃源』的打情罵俏，來來的許願池，水源路的小屋，金國西餐廳中爲『小梅梅』取名字……往事歷歷，如在目前，往事歷歷，如在目前。

但是，方克梅和徐業平居然散了，居然散了。

在營房中，韓青捧著徐業平和小方分別的來函，好幾個深夜，都無法成眠。總記得小方過二十歲生日，穿一襲白色衣服，襟上配著朵紫羅蘭，和徐業平翩然起舞。也是那晚，韓青第一次認識了鴕鴕！

『小梅梅，妳再也不會有弟弟妹妹了！』他嘆息著。

但是，眞有個小梅梅嗎？她存在過嗎？是的，她存在過，雖然只有短短兩個月，她確實存在過。但是，她也去了。從糊塗中來，從糊塗中去。生命是古怪的東西，韓青年齡越長，經歷越多，自負越少，狂傲越消……他再不敢說他瞭解生命，更不敢說他瞭解人生。

同時，鮀鮀的來信變得越來越短，越來越零亂，有時，他甚至不知道她在說些什麼。她開始談到畢業，因爲她馬上就要畢業了。但她談了更多有關社會，有關成長，有關生活『境界』的問題，含糊的，暗示的，模稜的。他困擾著。可是，他在極大的不安裏，仍然對鮀鮀有著信心，只要他退了役，可以和她朝夕相處，可以找到一份足以餬口的工作……什麼都可以解決，什麼都可以成功。一個『圓』已經劃到最後的一個缺口，只要那麼輕輕一筆，就可大功告成。等待吧，因爲他也馬上就要退役了。

就在他退役前夕，鮀鮀寄來一封眞正讓他掉進冰淵裏去的信，雖然信上並沒有一個字說她已經變心：

青：

時鐘敲了一響又一響，告訴我夜已深了，再過數小時，就是認識四十四個月，多快，只是一晃眼而已。三年又八個月該上千天，從一開始算起吧，也算個半天才算完呢！怎麼回首時却有如雲煙般片刻即過？

近四年來，事實上，從一開始你就犯了一個最大的錯誤——你讓我誤以為你百般遷讓我是應該的。在你面前，我一直是最驕橫、任性、倔强、善變……的女孩，可是你始終給予我最大的寬容與愛心。

如果世界上眞有因果報應，我將遭到報應的。也許有一天我受人虐待時，我將反悔不已，而當我再想回到你身邊時，一切都已經太晚了！

其實我原不想寫封傷感的信，你知道。可是，我一定要把我心中積壓的話告訴你，否則，我們的距離也只有越拉越遠。

以前種種，甜蜜的，傷心的，歡樂的，悲哀的……簡直無法計數。眞像一場夢！一場最美麗的夢，說什麼美夢最易醒，好夢難成眞，事實上，那存在的片刻即是永恆。人爲什麼刻意追求恆久呢？世間沒有一樣東西是恆遠不變的，時間在流逝，山河在變遷，人心在轉移。在巨變的空間裏追求永恆，原本就是——悲劇。

我無意對自己的改變辯解些什麼，我也不願推說那是做事帶來的成長。事實上，你知道我一直在改變，一直在成長，我的成長過程像爬樓梯一樣，一級一級往上爬，永不終止。而每一階段的成長都是艱辛痛苦，然而回首時總是帶著滿足的微笑，而不同階段的成長更有著不同的視界。

發覺與你有隔閡，該是這半年多的事，嚴格說起來，錯不在你，也不在我。當兵兩年，你與社會隔絕脫節，幸好你是知道上進的，你並沒有讓我失望，你一直表現得非常好。在部隊裏，我發現你學會了容忍。但是，無論如何，你終究是個『男孩』，我並不是說你不夠成熟，但你除了熱情以外，還缺乏了某些東西，這是眞的。

也許接觸了社會上的生意人，我已不再是昔日清純的女學生。我無意批評社會，事實上社會也是由人組成的。而其中份子良莠不齊，如何能置身其間，站穩脚步，不隨波逐流，又有所方向才是最重要的。你所缺乏的，或許該說我們所缺乏的，就是一套『成人』處理事情的方法與態度。它並不是虛僞的，而是智慧，眞誠，加上高超技巧的結晶。對於社會的種種，你仍然是『稚嫩』的。這完全不是你的錯，因爲你還沒有機會走進社會！你需要的是時間與繼續不斷的挑戰，以及換來的頭破血流與經驗教訓。

現在的我至少已有一脚踏入了社會，我已不再排斥它，不帶著太多的幻想，也不再對其黑暗面感到噁心！我已經『進入』了這個『境界』，你知道我無法『退入』以前的『境界』裏，你目前要做的，就是迎頭趕上來！你積極要做的，就是做一個『成人』！

我依舊稚嫩得可以，我仍不得進入成人的境界裏。我深信如果今天我是個成人，我會把你我的情況處理得很好，而不要像現在這樣，一把眼淚一把鼻涕般寫這封信。很抱歉，我難過極了，其實我已難過很久很久了。說什麼我也難以忘懷往事！

近四年來，你曾是我整個生活的重心，我又怎忍心傷害一個摯愛我的人？於是，我壓抑又壓抑，不想寫這封信，但是原諒我，我畢竟要面對這份眞實！如果每個人每階段有份不同的愛，請相信我，給你的是一段最眞摯純情的愛。我不敢肯定這段情是否持久下去，但我會永遠感激你！讓『鮀鮀』兩個字永遠伴著你，如果有一天（萬一有這麼一天的話！請……請不要掉眼淚！）如果有一天，我不能伴著你度過一生一世，此生此世，『鮀鮀』永遠消失在人間，沒有第二個男人叫得出口！

抱歉！我又讓你難過了！近四年來，我似乎總讓你在擔心苦悶中度過的，而你却甘之如飴，視此爲磨練，眞眞難爲你了。如果我有福份能做你的妻子，讓我用四十年來償還你！

惦著你，好擔心你會做傻事，我不敢奢求你會答應我些什麼，因爲我知道我不配！我只請求你，善待你自己，看在你父母的份上，看在老天的份上，求求你！

別再把我比爲天鵝，我只是隻醜小鴨，有一天我野倦了，想回來探探老巢，如果你不嫌棄我，叫聲我的乳名！如果你已厭煩了，或是巢穴裏已有了新人，就稱我聲『嘉珮』吧！

鴕鴕　寫於相識四十四個月　一九八一、六、廿四

韓青把信看了一遍又一遍，沒有人的信能寫得比她更好，沒有人的表達力能比她更强，沒有人能像她一樣，把一封『告別書』寫得像封『情書』一樣婉轉動人，沒有人能用如此眞實的態度來對他訴說『成長』帶來的『距離』……沒有一個人會讓他此刻心如刀剜，淚如雨下。沒有一個人！只有他的鴕鴕！他那深愛著，深愛著，深愛著的鴕鴕！如果他能少愛她一些，如果她能『平凡』一點，不要如此聰明，不要如此敏銳，不要如此深刻，不要如此感情，甚至，不要如此理智……那有多好！那麼，他就不會這樣冷汗涔涔，渾身冰冷了。在這一瞬間，吳天威的話掠過他的腦海：『袁嘉珮，那女孩太聰明，太有才氣，太活躍，又太受人注意！韓青，你該找個平凡一點的女孩，那麼，你會少吃很多苦！』

如果她不是鴕鴕，他會少吃很多苦！但是，如果她不是鴕鴕，他會不會這樣如瘋如狂，刻骨刻心的去愛她？

他坐在營房裡，握著信箋，沉思良久，然後，他毅然站起身子，揮去淚痕，重重的摔頭，咬

著牙說：

『等著我，鮀鮀！全世界沒有東西能分開我們！等我追上妳的境界，等我去做一個「成人」！等著我！鮀鮀！等著我！我不會放棄妳，永不！永不！』

20

七月十一日，韓青退役了。

回到屏東老家，他只住了三天，就僕僕風塵，直奔台北。暫時住在也剛退役的徐業平家，他開始瘋狂般的找工作。此時，方克梅已經嫁了，徐業平心灰意冷之餘，正發狠的準備托福考試，預備出國了。

沒有一個人像韓青這樣瘋狂，他在退役前，寄出了兩千封求職信，而在接踵而來的一個月以內，又馬不停蹄的去應徵、面試、考試了數十家公司，徐業平罵他是『狂人』。可是，當一九八一年的八月，他已同時被三家大企業公司錄取，只等他自己來選擇，該進那一家公司去工作。

鴕鴕和他的重聚，帶來的是椎心般的痛楚。他開始深深體會到鴕鴕信中所說的一切，她變了！變得成熟，變得穩重，變得高貴，變得深謀遠慮……變得那麼多，以至於，他痛楚的感到，她和他之間，已那麼陌生了。陌生得過去的點點滴滴，都恍如一夢。當他必須在三個工作中選一個的時候，他唯一的意念，仍然是『找一個高薪的工作，和鴕鴕馬上結婚。』可是，在徐家，鴕鴕和他單獨的、懇切的深談了一次：

『當你決定工作的時候，最好不要考慮我，只考慮你自己，適合於什麼工作。』

『我怎能不考慮妳？』他懊惱的大叫：『我是爲了妳才這樣到處亂撞，爲了妳才考慮待遇，工作性質，工作環境，和工作地點！』他深吸口氣，不要叫，不能叫，要跟她好好談，要表示風度，要表示『成熟』。他開始沉痛的正視她，一本正經的問：『鴕鴕，妳還要不要嫁給我？』

鴕鴕凝視他，眞切的凝視他。

『我以爲我給你的信裏已經說得很清楚了！』

『不清楚。』他搖頭。『完全不清楚。鴕鴕，妳說了兩種可能性，一是嫁給我，用妳四十年的生命來補報我。一是離開我，等野倦了，再回頭來瞧瞧舊巢。現在，』他握住她的手。『妳到底選擇了那一樣？』

她想把臉轉開。

『韓青，我想……我配不上你！』她掙扎著，囁嚅著說：『你就……放了我吧！』

他伸手捏住她的下巴，強迫她面對自己。

『妳的意思是我配不上妳，妳也不再愛我了，不再要我了！對嗎？』他有了幾分火氣。『妳的意思是，四年間點點滴滴，都要一筆勾銷了，是嗎？看著我！準確的回答我！不要再用模稜兩可的句子來搪塞我！』

『韓青！』她喊了出來，被迫的面對著他。『我剛剛才大學畢業，我還不想結婚！我想，我從頭到底就沒有穩定過！我對我自己善變的個性太害怕！而你，韓青，你如此純真，一直純真得像個小男生！你正視一下我們的前途吧，如果我們眞結婚了，會幸福嗎？會幸福嗎？』

『爲什麼不會？』他用力的問：『只要我們相愛，爲什麼不會？』

『相愛是不夠的！』她終於有力的說了出來。『韓青，兩個生長自不同環境的人，要結爲夫妻，共同去生活數十年，並不僅僅是相愛就夠了！還要有共同的興趣，共同的目標，共同的朋友，共同的社會階層，共同的境界，共同的生活水平，……否則，愛情禁不起三年的考驗，就會化爲飛灰！韓青，你看過愛得死去活來終於結合的夫妻，却在數年後反目成仇而離婚的例子嗎？

……』

『那麼，妳的意思是，我們沒有絲毫共同點？』

『以前，我認爲我們有。那時，我是一個單純調皮的大學女生，你是個單純調皮的大學男生！那時，我們的確是在同一個水平上。我們的愛好興趣都很接近，彈吉他，唱民歌，批評教授，埋怨社會，什麼事都不懂，卻目空一切！眞的，韓青，那時的我們就是這樣的，所以我們會相愛。可是，現在，什麼都不同了。』

『怎麼不同了？』他追問：『除了一件，妳變得現實了！妳開始追求物質生活了！』

她抬眼看他，淚水衝進了眼眶。

他立刻後悔了。

『原諒我！』他說，握緊她。『妳使我心亂如麻，妳使我口不擇言，我並不是要諷刺妳，我只想找出我們之間問題的癥結！』

『你說對了！』她含淚點頭。『我變得現實了！我知道柴米油鹽醬醋茶的生活，絕對趕不上琴棋書畫詩酒花的生活！我知道送一束玫瑰花也要你有錢去買一束玫瑰花！我知道當兩個人望著月亮互訴愛情的時候必須先吃飽肚子！我知道你要一個如詩如夢，飄逸美麗的妻子，絕不要一個蓬頭垢面洗衣擦地板的女人……』

『停！』他說：『我們的問題歸納到了最後一個字：錢！』

她深深搖頭，深深深深的搖頭，她注視他的眼光，如同注視一個不解事的、天眞的孩子。

『並不是那一個字。韓青，或者說，不止那一個字。還有其他很多東西。例如，我花了很多時間學英文，學法文，我一直想去歐洲，一直想寫點什麼。你認爲，我這種人——我並不是說我很高貴，我只是强調我就是這樣一個人，能不能到屏東一個小鄉鎭上，去當個心滿意足的雜貨店老闆娘呢！去當你父母的乖兒媳婦呢！』

韓靑面色轉白了。

『我從不以我的家庭爲恥辱！』他正色說。

鮀鮀的臉色也轉白了。

『假若你認爲我說這句話，是表示我輕視你的家庭，那麼，我們兩個的境界就已經差得太遠了！』她沉痛的說，把手壓在胃上，她的情緒一激動，那胃就又開始作怪了。『我從來沒有輕視過你的家庭，我只是舉個例子，表示我們之間，還有許多以前根本沒有去想過的問題！人，不是可以離羣獨居的，人是除了夫妻關係之外，還要有父母，親戚，朋友，和社會大衆的！你……你……』她說不清楚，淚水就奪眶而出：『你根本不瞭解我！』她站起身來，往門外就衝去。

『慢著！』

他大踏步走過去，攔住她，他的眼眶漲紅了，眼光死死的盯著她：

『我知道我們之間已有距離，不過，世界上沒有跨不過去的距離。我只問妳最後一句話：』他深吸口氣：『鮀鮀，妳還愛我嗎？』

淚珠從她面龐上紛紛滾落。

『這就是我最大的煩惱！』她坦白說：『韓青，我從來沒有停止過愛你！從來沒有！』

他靜靜的看她，認眞的看她，深深的看她，看了好久好久，然後，他說：

『謝謝妳！鮀鮀。謝謝妳這句話。我或者很天眞，我或者很幼稚，我或者還沒有成熟，我或者不能給妳安全感。但是，只要有妳這句話，我的信心永不動搖。鮀鮀，妳幫我做了一個決定，現在有三個工作等著我去做，其中只有一家公司在南部，我決定回南部去工作了。我想，我現在也很脆弱，我要回到一個寵我的家庭裏去。然後，我在南部打我的天下，妳在北部打妳的天下，我們暫時分開，讓我們兩個都認眞的考慮一下，我們還有沒有結合的希望。』他喉中哽了哽，唇邊却浮起一個微笑。『鮀鮀，妳知道三天後是什麼日子？』

『我知道。』她也微笑起來，雖然淚珠仍然晶瑩的掛在面頰上。『八月二十四日，我們認識，整整四十六個月了。』

『當我們有一天，慶祝我們認識四十六週年的時候，我希望妳會對我說一句，妳從沒後悔嫁給我！』他說。眼睛又閃亮了，面龐上又綻滿了希望的光彩。『鮀鮀，記得我服役前夕，妳在我枕上留條子，妳寫着：「青，你要回來娶我，你一定要回來娶我！我等你！我一定等你！」妳還寫着：「我一字一淚，若神天上果有知，願祂成全我的心願，我願棄名利，拋世俗，只願與你比翼雙飛，此生此世。」瞧，我都會背誦了。鮀鮀，妳還記得嗎？』

『是，我記得。』她眼中又濛上了淚影，聲音裏迸裂着痛楚。『記得每一句誓言，記得每一個片段，記得每一個細節……記得所有的點點滴滴。』

『但是，那些山盟海誓，總不會隨風飄散吧？大學生的戀愛，再怎麼不成熟，總不會只是兒戲吧？』

『不。韓青。』她咬緊牙關，蹙着眉，試着想讓他瞭解。『我並沒有否認我們過去的愛，我並沒有想抹煞我們那四年，你也知道，在這四年中，我做了多麼完整的奉獻，你一直是我生活中的重心……』

『現在不是妳生活的重心了！』他終於忍不住衝口而出。『鴕鴕，』他深沉的說，語氣鄭重，眼神愁苦。『坦白告訴我吧！不要用「成長」「境界」「成熟」這種大題目來擋住我的視線，坦白的告訴我，妳生命裏又有了別人，是嗎？我們之間有了第三者，是嗎？』

她深吸了一口氣。沉吟了片刻。

『你知道，我們之間一直有第三者，我不否認，目前還有別人在追求我。可是，這些年來，我並沒有背叛過你，也沒有隱瞞過你什麼，是不是？我一直是很誠實的，是不是？那些第三者，也從沒把我們分開過，是不是？』

『那麼，』他屏息說：『我們的問題，確實是在我「不夠成熟」、「沒有長大」、「不能給妳安全感」上？』

『是。』

『經過那麼一段刻骨銘心的戀愛以後，用這些理由來分手，會不會太牽强了？』他激烈的說，立刻，他又後悔說這幾句話了，是的，他還不夠成熟，說這幾句負氣的話，就表示他還沒成熟！他深深嘆了口長氣，接着說：『好！我承認我不夠成熟！但是，鴕鴕，』他加强了語氣：『等我！等我！』他低語，熱烈而誠摯，每個字都挖自肺腑深處：『等我，我會很快的追上妳的境界！走入妳那個成人的世界！等我來娶妳！我相信，將來帶妳去巴黎的，不會是別人！一定是我！現在，我離開妳，讓妳一個人去思考，讓我一個人去奮鬥……我想，我們都需要冷靜，都需要「孤獨」一陣……』

『就像那個暑假，你拚了命去打工一樣。』她回憶的說，唇邊浮起溫柔的微笑，眼底流露着欣賞的光華。『你知道嗎？韓青，那是你最深刻打進我內心去的一次！你那麼堅強，高傲，瀟洒。整個暑假，你離開我，讓我去面對自己！』

『現在，又是一次，該我堅強瀟洒的時候了！』他淒苦的微笑起來。『最起碼，我還懂得一件事，「愛」一個人，不要去「纏」一個人，奉獻自己，而不要去左右對方的意志！』

她仰着頭看他，眼睛閃着光彩。

『你知道嗎？』她由衷的說：『你實在是非常非常非常可愛的！』

『妳知道嗎？』他也由衷的說：『妳也實在是非常非常非常可愛的！』

他們又相對注視，彼此都在彼此身上、臉上，看到那些逝去的歲月，看到那些已過去的歡樂，看到那些數不清的誓言，看到那些點點滴滴，絲絲縷縷的愛。終於，韓青沉痛的把手壓在她手上，握緊她，痛楚的從齒縫中迸出一句話來：

『鴕鴕，我們是怎麼了？我們到底是怎麼了？如果我們還相愛，如果我們還彼此欣賞，是什麼東西把我們隔開了？是什麼東西？』

『我不知道。』鴕鴕虛弱而誠實的回答。『我想，這樣東西的名字可能就叫「考驗」，我們還需要一段時間的考驗，才知道是否能共享未來。』

『難道四年多的考驗還不夠？』

『那四年，我們並沒有面臨「考驗」，我們只是忙着去「戀愛」！如今，除了戀愛之外，我們要面對的眞實人生，這才是最重要的！韓靑，我在信裏寫過，成長的每個步驟都很痛苦，這考驗也是痛苦的，熬過了，我們在人生的境界裏，就眞正可以所向披靡了。熬不過，你就還是個大學小男生！而我……』

『妳已經不是個大學小女生了。』他接口。

『是的。』她含淚點頭。

『好！』他堅決的說：『給我時間！讓我長大！讓我來通過這段考驗！讓我向妳證實我自己！』

然後，他又瞅了她好一會兒，就猝然轉開身子，大聲說：『在我「纏」住妳以前，快走吧！』

她揮去淚痕，再凝望了他的背影一眼，轉身欲去。

『鴕鴕！』他背對着她說：『我愛妳！永遠愛妳！』

她收住脚步，怔了怔。然後，她飛奔回來，從背後抱住他的腰，把濕漉漉的面頰緊貼在他的肩上，在他耳畔又輕又快的說：

『謝謝你能瞭解我，謝謝你能體貼我，謝謝你能爲我去單獨奮鬥，謝謝你能這麼深切的愛我，謝謝你給了我最快樂的四年，謝謝你一切的一切！』

他咬緊牙關，不讓自己回頭去看她，不讓自己再去抓住她。而淚水，却極不爭氣的往自己眼裏衝去。他覺得心碎了，心完完全全的碎了。不知怎的，他就覺得這場面像是在訣別似的！她那一連串的『謝謝你』讓他每根神經都絞痛了，他眞想對她大喊：

『不要謝我，只要嫁我！』

不行！他知道。如果他這樣說，她會輕視他！她會認爲他膚淺，幼稚、不成熟。而現在，他最怕的一件事，就是被她輕視。

他的腰桿筆直，身子僵硬，站立在那兒！他像個石像般動也不動。然後，她又在他耳邊低語：

『如果你耳朶癢的時候，不妨打個電話給我！』然後，她說了最後一句：『再見了！韓青！』

『再見了，鴕鴕！』他也啞聲回答，依舊沒有回頭。

她放開他，轉身飛奔而去了。

他依然挺立在那兒。聽着她的脚步聲一步一步的消失，一步一步的消失，一步一步的消失……似乎一步一步消失到了世界的盡頭。每個脚步都踩碎了他的心，不知怎的，他就覺得整顆心都撕裂了，都粉碎了。

人類的悲哀，就在於永遠不能預知未來。假若韓青那時能知道以後會發生的事，恐怕他寧可被她輕視，寧可『纏』住她，也不會放她走的。但是，他不能預測未來，他竟然不能預測未來！

21

兩天後，韓青回到了屏東，開始就任於某產物有限公司。受訓一個月後，立即被編爲正式職員，負責推展業務方面的工作。

韓青又像那個暑假一樣，進入了一種『瘋狂』的工作狀態中。從早上八點鐘上班，他下班後再加班，總要忙到晚上十點十一點，回到家裏，往往都已三更半夜。韓青的父母，用慈愛的胸懷迎接着這在外已流浪多年的兒子，兩老從不問什麼，只在韓青晚歸時爲他煮一碗麵，早起時爲他煮兩個蛋。而在他深沉黝暗的眼神中，去體會他這些年來在外面經歷過的磨練。兩老永遠讀不出韓青的心事，永遠看不透他的哀愁，更無法進入他那孤寂的內心，去瞭解他那內心中强烈的思念、渴望、痛楚，與掙扎。但是，他們用單純的寵愛，來默默的包容他，沒有懷疑，沒有要求，只有付與。兩老從不要求韓青快些『成熟』，快些『長大』！

韓青工作得那麼累，那麼辛苦，他幾乎沒有時間給鴕鴕寫信。這段時間中，鴕鴕的來信也很少，每封都好短好短。雖然如此，韓青仍然可以深切的感覺出來，自己的心臟中，像有根無形的、細細的線，一直牽過大半個台灣，而密密的縈繞在鴕鴕的心臟上。每當夜深，這根線會忽然抽緊，於是，他會遏止不住自己，而撥個長途電話到台北，只對鴕鴕說上一句：

『沒有事，只因爲耳朵癢了。』

對面會傳來一聲低低的、悠悠的嘆息。聽到這嘆息，夠了，他不再想聽別的。在他還沒有把握已追上她的境界，已經夠得上成熟，已經讓她在『愛』他以外，還能『尊敬』他的時候，他不想再爲自己多說什麼。該說的話，似乎都在上次說完了。剩下的，只是該做的事。於是，他會默默的掛上電話，而讓無盡的相思，在無眠的長夜裏，啃噬着他的心靈。

偶爾，他也會懷疑，鴕鴕身邊已有新人了。在過去四年中，這種事是層出不窮的。但是，如果經過這樣轟轟烈烈四年的相愛，她最後還能移情別戀，那麼，對整個的人生，韓青還能信任些什麼？不不，他把這層疑惑硬生生從心底劃掉。可是，潛意識中，這層疑惑却也根深柢固。哦，鮀鮀，鮀鮀，鮀鮀……他心中輾轉低呼，結束這種煎熬吧！結束我們彼此的煎熬吧！鮀鮀，鮀鮀，鮀鮀！讓我相信妳！讓我百分之百的相信妳！

不，不能懷疑她。鮀鮀只是長大了，所以他也必須也要長大！鮀鮀會等他的，他深信，鮀鮀會等他的。他更深信，即使她又有了新朋友，她還是會回到他身邊。因爲世界上沒有人能比他更愛她，沒有人能比他更寵她。四年來，她也多次想從他身邊飛去，最後，仍然飛回舊巢。這就是鮀鮀，一個永遠在找安全感，在找避風港，而又在找風浪，找挑戰的女孩！但是，他有信心，當她飛倦了，必定會飛回舊巢，不論何時，他都會張開雙臂，迎她於懷，讓她休憩下她那飛累了的雙翅。

他等待着，很有信心的等待着。儘管這段等待的日子裏充滿了煎熬，他每天都要用最大的克制力，不打電話給她，（偶爾，還是打了。）不寫信給她，（偶爾，還是寫了。）但是，他總算做到一件事：不去台北『纏』她。儘管，他心底千遍萬遍的吶喊着：

『鮀鮀！結束這種煎熬吧！結束這種煎熬吧！』

鮀鮀無語。兩人間的『無線電』忽然有短路的情形。他收聽不到鮀鮀的心聲，不安的感覺把他密密圍繞着。鮀鮀啊，妳爲何默默無語？

新的一年在煎熬中來臨了，木棉花開過又謝了。

他瘋狂的工作有了代價，從職員升任到課長了。不能證明什麼，他不知道自己的境界有沒有追上鴕鴕？境界兩個字好空泛，是一張無法得滿分的考卷！鴕鴕啊！最起碼，妳看看這張考卷吧！雖然不見得及格，我已經盡力去答題了！用我的血和淚去答題了。鴕鴕啊，妳看看考卷吧！

鴕鴕無語。鴕鴕啊，妳爲何默默無語？

不安和困惑把他牢牢綑住了，而且，他恐懼了。恐懼得不敢再打電話給她，不敢再寫信給她，不敢去面對自己不知道的『眞實』。

然後，四月裏，他在夜半忽然驚醒了。像有個人在用線猛力拉扯他的心臟，把他從睡夢中痛得驚跳起來。坐在床上，他突然那麼强烈的感應到鴕鴕心聲：韓青，你在那裏？韓青，你在那裏？

他披衣下床，立即撲向電話。

鈴響了好久，錶上的時間是凌晨兩點半。不行！一定要聽到鴕鴕的聲音！鴕鴕，接電話吧！接電話吧！接電話吧！求求妳！

電話終於被接聽了，接電話的不是鴕鴕，而是睡意朦朧的小三。

『韓青?』小三的聲音怪怪的。『你……找我姐姐?她……她……』小三的語氣含糊極了,曖昧極了。『她不在家,她……她去度假了。』

『度假?』他緊張的喊:『什麼度假?』

『哦,哦,』小三囁嚅着。『她要我們都不要跟你說的!她……她去日本了,出國了。大概一個月以後才回來!她回來後會跟你聯絡的!』

電話掛斷了。

他呆呆的坐在床沿上。好半天都沒有意識。然後,痛楚把他徹底打倒了,他用手緊緊的抱住了頭。殘忍啊,鴕鴕!妳怎能如此殘忍?去日本了,出國了!妳一個人出國嗎?還是有人和妳同飛呢?當然,妳不可能單獨出國度假的,那麼,是有人同飛了!鴕鴕,妳忘了,妳說過只和我比翼雙飛的!妳說過的!他搖着頭,滿懷苦澀,滿臉都爬滿了淚水。

好久之後,他振作了自己。忽然想起捧着十二朵玫瑰花的鴕鴕,巧笑嫣然的鴕鴕,抱着他的腰又笑又跳的鴕鴕,在海邊唱萬事萬物的鴕鴕……他把手指送到齒縫中,咬緊了自己。不,我不恨妳!我不怨妳!我無法恨妳!我無法怨妳!去玩吧!去度假吧。玩累了,這兒還是妳的窩,即使有人和妳同飛,我也不怨。只要妳回來,我什麼都不怨,什麼都不問,什麼都不怪!只要妳回來！

這種等待，變成煎熬中的煎熬了。

韓青徹夜徹夜不能睡，每個思緒中都是鴕鴕，驅之不走，揮之不去。她亭亭玉立的站在那兒：笑着，哭着，說着……他的鴕鴕，他那讓他如此心痛，如此心酸，如此心愛的鴕鴕！他怎能這樣愛她呢？怎能呢？

四月二十四日，又是紀念日了。

整天，韓青的心緒都不寧到了極點。瘋狂的想念着鴕鴕。他去書店裏，買了一張雁兒歸巢的卡片，在上面寫下兩行字：

『舊巢依舊在，
只待故人歸！』

望着卡片，他沒有寄出。卡片上有隻雁子，一隻飛著的雁子。他瞪着雁子，想起一支歌，歌名叫『問雁兒』：

『問雁兒，妳爲何流浪？
問雁兒，妳爲何飛翔？
雁兒啊，雁兒啊，
我想用柔情萬丈，
爲妳築愛的宮牆，
却怕這小小窩巢，
成不了妳的天堂！

問雁兒，妳可願留下？
問雁兒，妳可願成雙？
兒啊，雁兒啊，
我想在妳的身旁，
爲妳遮雨露風霜，

又怕妳飄然遠去，
讓孤獨笑我痴狂！』

他的心酸澀苦楚，腦子裏只是發瘋般縈繞着這支歌的最後兩句：『又怕妳飄然遠去，讓孤獨笑我痴狂！』他把卡片丟進抽屜裏，鎖起來。但是，他能鎖住鮀鮀嗎？那愴惻淒苦之情，把他壓得緊緊的，壓得他整日都透不過氣來。『又怕妳飄然遠去，讓孤獨笑我痴狂！』哦！他昏昏沉沉的挨着每一分、每一秒。心底是一片無盡的淒苦。鮀鮀啊，請不要飄然遠去，讓孤獨笑我痴狂！

這夜，他又無法成眠。

瞪視着窗子，他的思緒游蕩在窗外的夜空中。心裏反覆在呼喚着鮀鮀。腦子裏，有個影像始終在徘徊不去。一隻孤飛的雁子。孤獨，孤獨，孤獨！有一段時間，他就這樣徹底的體會着孤獨。然後，忽然間，他耳畔響起了鮀鮀的聲音，那麼清晰，清晰得就好像鮀鮀正貼在他耳邊似的，那聲音清脆悅耳，正在唱歌似的唱着：

『無一藏中無一物，有花有月有樓台！』

鴕鴕回來了！她從日本回來了！他知道！他每根纖維都知道。鴕鴕在呼喚他！一定是她在呼喚他！四年多來，她每次需要他的時候，他的第六感都會感應到。而現在，他的第七感第八感第九感，第十感……都在那麼强烈，那麼强烈的感應到，鴕鴕在呼喚他！

他披衣下床，不管是幾點鐘了，他立即撥長途電話到袁家，鈴響十五次，居然沒有人接聽！難道他們全家都搬到日本去了？不可能！他再撥一次電話，鈴響二十二次，仍然沒人接聽。

他在室內踱着步子，有什麼事不對了！一定有什麼事不對了！爲什麼沒人接電話呢？他再撥第三次，還是沒人接。不對了！太不對了！他去翻電話簿，找出方克梅婚後的電話，也不管如此深夜，打過去會不會引起別人疑心，他硬把方克梅從睡夢中叫醒：

『韓青，』方克梅說：『你這人實在有點神經病！你知道現在幾點鐘嗎？』

『對不起。』他喃喃的說：『只問妳一件事，鴕鴕回來沒有？』

『嘉珮嗎？』方克梅大大一怔。『從那兒回來？』

『日本呀！她不是去日本了嗎？』

『噢！』方克梅怔着。『誰說她去日本？』

『她妹妹說的！怎麼，她沒有去日本嗎？』他的心臟一下子提升到喉嚨口。

『哦，哦，這……這……』方克梅吞吞吐吐。

『怎麼回事？』他大叫：『方克梅！看在老天份上，告訴我實話！她結婚了？嫁人了？嫁給姓柯的了……』

『哦，不不，韓青，你別那樣緊張。』方克梅說：『鮀鮀沒有嫁人，沒有結婚，她只是病了。』

『病了？什麼病？胃嗎？』

『是肝炎，住在榮民總醫院，我上星期還去看過她，你別急，她精神還不錯！』

『妳爲什麼不通知我？』他對着電話大吼。

『韓青，不要發瘋好吧！她不過是害了肝炎，醫生說只要休養和高蛋白，再加上天天打點滴，很快就會出院的！她要我千萬不要告訴你，她說她現在很醜，不想見你，出院以後，她自己會打電話給你的！你曉得她那强脾氣，如果我告訴了你，她會把我恨死！她還說，你正在努力工作，每天要工作十幾小時，不能擾亂你！』

『可是，可是——』他對着聽筒大吼大叫：『她需要我！她生病的時候最脆弱，她需要我！』

『韓青，』方克梅被他吼得耳膜都快震破了，她惱怒的說：『你是個瘋子！人家有父母弟妹照顧着，爲什麼需要你！你瘋了！』方克梅掛斷了電話。

韓青兀自握着聽筒，呆呆的坐在那兒。半晌，他機械化的把聽筒掛好，用雙手深深插進自己的頭髮裏，他抱着頭，閉緊眼睛，去遏止住自己一陣絞心絞肝般的痛楚。思想是一團混亂。方克梅說鴕鴕病了。眞的嗎？或者是嫁了？不，一定是病了。肝炎，榮民總醫院，沒什麼嚴重，沒什麼嚴重！肝炎，肝炎，鴕鴕病了！鴕鴕病了！他猝然覺得心臟猛的一陣抽搐，抽得他痛得從床沿上直跳起來。他彷彿又聽到鴕鴕的聲音了，在那兒淸淸脆脆的嚷着：

『韓青，別忘了我的木棉花啊！』

木棉花？他驚惶的環室四顧，牆上掛着他和鴕鴕的合照，鴕鴕明眸皓齒，巧笑嫣然。鴕鴕，妳好嗎？妳好嗎？鴕鴕，妳當然不好，妳病了，我不在妳身邊，誰能支持妳？誰能安慰妳？誰能分擔妳的痛苦？他奔向窗前，繁星滿天。腦子裏驀然浮起鴕鴕寫給他的信：

『……願君是明月，妾是寒星緊伴，朝朝暮暮，暮暮朝朝。忽見湖水盪漾，水中月影，如虛如實……』

他機伶伶的打了個冷戰，不祥的預感那麼强烈的攫住了他。他忍不住喊了出來：

『鮀鮀！我來了！我馬上趕到妳身邊來！我來了！』

22

同一時間，鮀鮀躺在病床上，父母弟妹，都圍繞在床前。病危通知，是醫院臨時發出的。在下午，她的情況還很好，她曾堅持要洗一個澡，堅持要換上一身學生時代的衣服。鵝黃色襯衫，綠色燈芯絨長褲，外加一件綠色滾黃邊的小背心。躺在那兒，她就像一朵嬌嬌的小黃玫瑰花，被嫩嫩的綠葉托着。鮀鮀的父母並不知道，在好幾年前的十月二十四日，她曾穿着這套衣服，捧着十二朵玫瑰花，站立在一個男孩的門前。而後，她接受了一個金戒指，奉獻了她自己，成爲了那男孩的新婦。那男孩名叫韓青！

在這一刻，沒人知道鮀鮀心裏在想什麼，她就那麼平平靜靜的躺着，眼睛半睜半閉着，眼神裏有些迷惘，有些困惑，好像她正不懂，不瞭解自己將往何處去。她臉上有種幽柔的悲淒，很莊穆的悲淒，使她那瘦削蒼白的臉，顯得更加楚楚可憐。她縮了縮肩膀，像一隻在雨霧中，經過長途飛行後的小鳥，正收斂着她那飛累了的，不勝寒瑟的雙翅。然後，她的眉頭輕輕蹙了蹙，似乎想集中自己那已開始渙散的神志。她蠕動着嘴唇，低呼了一個名字，誰也沒聽清楚她喊的是誰。

然後，她嘆了口氣，用比較清晰的聲音，說了一句：

『緣已盡，情未了！』

接着，她用左手握住床邊的母親，右手握住床邊的父親，閉上眼睛，輕聲低語：

『不再流淚了，不再流淚了！』

這是她說的最後一句話。

袁嘉珮，乳名鮀鮀，在一九八二年四月二十四日彌留，二十五日死於肝癌，並非肝炎。年僅二十四歲！

二十四！這數字好像一直與她有緣，她是在二十四日遇到韓青的，她彌留那天，正是他們認識五十四個月的紀念日，她就這樣默默的走了。

韓青趕到台北，鮀鮀已經去了。他竟來不及見她最後一面！

他沒有哭，沒有思想，沒有意識，從榮民總醫院大門出來，他只想到一個地方去，海邊。鮀鮀最愛看海，相識以來，他曾帶她跑遍台北近郊的海邊。最後一次帶她看海，是他還沒退役的時候，那天是他休假，她到新竹來看他，又鬧着要看海。他起碼問了十個人，才知道最近的海邊名叫『南寮』，他一輩子沒去過南寮，却帶着鮀鮀去了。那天的鮀鮀好開心，笑在風裏，笑在陽光裏，笑在海浪帆影中。那天的他也好開心，笑在她的歡愉裏，笑在她的喜悅裏，笑在她的柔情裏……他曾一邊笑，一邊對着她的臉兒唱：

『阿美阿美幾時辦嫁妝？
我急得快發慌……』

是的。海邊。鮀鮀最愛去的地方。

他想去海邊，於是他去了。

在沙灘上，他孤獨的坐着。想着鮀鮀，第一次和她看海，她告訴他，她心裏只有他一個！最後一次和她看海，他對她唱『阿美阿美幾時辦嫁妝？』現在，他孤獨的坐在沙灘上，看着那無邊無際，浩浩瀚瀚的大海，整個心靈神志，都被凍結凝固着，那海浪的喧囂，那海風的呼嘯，對他都是靜止的。什麼都靜止了，時間，空間，思想，感情，什麼都靜止了。

『又怕妳飄然遠去，
讓孤獨笑我痴狂！』

忽然間，這兩句歌詞從靜止的思緒中迸跳出來。然後，他又能思想了，第一個鑽入腦海的記憶，竟是數年以前，丁香也曾坐在沙灘上，手中緊抱着徐業偉的手鼓。

他把頭埋進弓起的膝蓋裏，雙手緊握着圈住膝頭。他就這樣坐着，不動，不說話。海風毫不留情的吹襲着他，沙子打在他身上，後頸上，帶來陣陣的刺痛。他繼續坐着，不知道坐了有多久，直到黃昏，風吹在身上，已帶涼意，潮水漸漲，第一道湧上來的海浪，忽然從他雙腿下捲了過來，冰涼的海水使他渾身一凜，他驀的醒了過來。

他醒了，抬起頭來，他瞪着海，瞪着天，瞪着他不瞭解的宇宙、穹蒼。然後，他站起身子，機械化的移動他那已僵硬痲痺的手脚，緩緩的向海岸後面退了幾步。站定了，他再望着海，望着天，望着他不瞭解的宇宙、穹蒼。突然間，他爆發了！用盡全身的力量，他終於對着那雲天深處，聲嘶力竭的大喊出來：

『鴕鴕！鴕鴕！為什麼是妳？為什麼是妳？妳還有那麼多的事要做！妳的法國呢？妳的巴黎呢？妳的香榭大道和拉丁區呢？還有，妳的木棉花呢？妳的寫作呢？鴕鴕！妳怎麼可以走？妳怎麼可以走！妳那麼熱愛生命！妳那麼年輕！妳答應過我要活到七十八歲的！七十八歲的！難道妳忘了？妳許諾過我，要用四十年的生命來陪伴我！四十年！妳忘了？妳忘了？妳說過要告訴我們的子孫，我們曾如何相知和相愛，我們的子孫哪！難道妳都忘了！都忘了？為什麼在我這樣拚命的時候，妳居然可以這麼殘忍的離我遠去！鴕鴕！鴕鴕！鴕鴕……』他望天狂呼，聲音都喊裂了，一直喊到雲層以外去。『鴕鴕！鴕鴕！鴕鴕……』

他一連串喊了幾百個『鴕鴕』，直到發不出聲音，然後，他撲倒在一塊岩石上，在這剎那間，許多往事，齊湧心頭；那第一次的舞會，那八個數字的電話號碼，那小風帆的午餐，那第一次牽手，第一次接吻，第一次看海，第一次去趙培家，第一個週年紀念日……太多太多，數不清，算不清。多少恩愛，多少誓言，多少等待，多少計畫……包括最後一段日子中的多少煎熬！難道都成追憶？都成追憶？哦！太不公平，這世界太不公平！他以為全世界沒有人可以分開他和鴕鴕，但是，你如何去和死神爭呢？他從岩石上慢慢爬起來，轉過頭來，他注視着天際的晚霞，那霞光依然燦爛！居然燦爛！爲誰燦爛？他再度仰天狂叫：

『上帝，祢在那裏？祢在那裏？』

數年前，他曾爲徐業偉狂呼，那時，鮀鮀尚在他的身邊，分担他的悲苦。而今，他爲鮀鮀狂呼，身邊却一個人都沒有。他仰首問天，天也無言，他俯首問地，地也無語。他把身子仰靠在那堅硬的岩石上，用手下意識的握緊一塊凸出的石筍，那尖利粗糙的岩石刺痛了他的掌心，他握緊，再握緊……想着水源路的小屋，想着赤脚奔下三樓買胃藥，想着拿刀切手指寫血書，想着鮀鮀捧着十二朵玫瑰花站在他的門前……他不能再想，再想下去會追隨她奔往大海，這念頭一起，他瞪視海浪，那每個洶湧而來的巨浪，都在對他大聲呼號：

『不能同生，但求同死！』

『不能同生，但求同死！』

『不能同生，但求同死！』

他被催眠了，腦子裏一片混沌。

離開了身後的岩石，他開始向那大海緩緩走去，一步又一步，一步又一步，一步又一步……

他的脚踩上了濕濕的沙子，浪花淹過了他的足踝，又向後面急急退走，他邁着步子，向前，再向前，再向前……

忽然，他聽到鮀鮀的聲音了，就在他身後淸淸脆脆、溫溫柔柔的嚷着：

『有就是沒有！眞就是假！存在就是不存在，最近的就是最遠的……』

他倏然回頭，循聲找尋。

『鮀鮀！』他喊：『鮀鮀！』

鮀鮀的聲音在後面的山谷中廻響，喜悅的、快樂的、開心的嚷着：

『我的，你的，一切，一切，是我倆的一切，我倆的巴黎，我倆的木棉花！』

『哦！鮀鮀！』他咬緊嘴唇，直到嘴唇流血了。他急急離開了那海浪，奔向岸邊，奔向沙灘，奔着，奔着。一直奔到筋疲力竭，他倒在沙灘上，用手緊緊的抱住了頭。哭吧！他開始哭了起來。不止爲鮀鮀哭，爲了許多他不懂的事而哭。小偉，鮀鮀，小梅梅，和他們那懵懂無知的靑春歲月！當那些歲月在他們手中時，幾人珍惜。而今，走的走了，散的散了，如詩如畫的鮀鮀，竟然會與世長辭了。

他似乎又聽到鮀鮀那銀鈴般的聲音，在唱着那支她最心愛的歌“All Kinds of Everything”：

『雪花和水仙花飄落，
蝴蝶和蜜蜂飛舞，
帆船，漁夫，和海上一切事物，
許願井，婚禮的鐘聲，
以及那早晨的清露，
萬事萬物，萬事萬物，
都讓我想起妳——不由自主。
……………………………………。』

他用手蒙住耳朵。萬事萬物，萬事萬物，都因鮀鮀而存在。如今呢？不存在就等於存在嗎？存在就等於不存在嗎？鮀鮀啊！妳要告訴我什麼？或者，我永遠追不上妳的境界了！妳的境界太遠，太高，太玄了！鮀鮀！我本平凡！我本平凡！我只要問，妳在那裏？妳在那裏？

風呼嘯着，浪撲打着，山頂的松籟，和海鷗的鳴叫，浪花的怒吼……萬事萬物，最後，全滙成了一支萬人大合唱，洶洶湧湧，排山倒海般對他捲了過來：

『匆匆，太匆匆！』

『匆匆，太匆匆！』

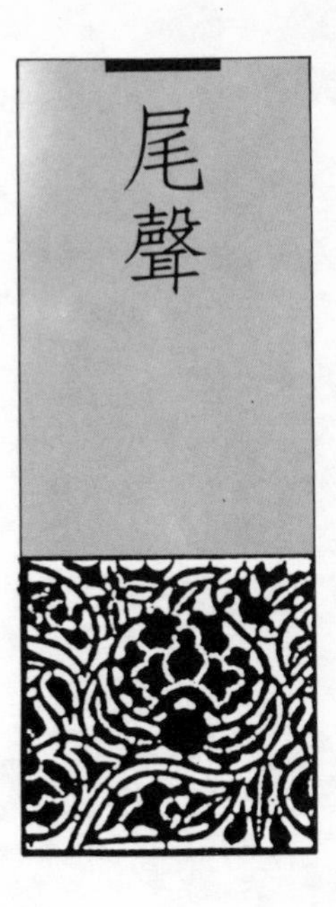

韓青說完了他和鴕鴕的故事。

桌上的烟灰缸裏，已經堆滿了烟蒂，烟霧繼續在空氣中擴散着，時間已是八月一日的凌晨了。

他的身子靠進椅子的深處，他的頭往上仰，眼睛無意識的看着我書房的天花板，那天花板上嵌着一排彩色玻璃，裏面透着燈光。但，我知道他並不在看那彩色玻璃，他必須仰着頭，是因爲淚珠在他眼眶中滾動，如果他低下頭，淚水勢必會流下來。

室內靜默了好長一段時間，我的稿紙上零亂的塗着他故事中的摘要，我讓我的筆忙碌的劃過稿紙，只爲了我不能制止住自己眼眶的濕潤。

過了好一會兒，我想，我們兩個都比較平靜了。我抬眼看他，經過長長的敍述，陌生感已不存在，他搖搖頭，終於不再掩飾流淚，他用手帕擦擦眼睛，我注意到手帕一角，刺繡着『毵毵』兩個字。

『你每條手帕都有這個名字嗎？』我問。

『是的。』

我嘆口氣。不知該再問些什麼，不知該再說些什麼。事實上，韓青的故事敍述得十分零亂，他經常會由於某個聯想，而把話題從正在談的這個『階段』中，跳入另一個『階段』裏。於是，時間、事件，和地點，甚至人物，都有些混淆。而在敍述的當時，他曾多次咬住嘴唇，抬頭看天花板（因淚水又來了），而讓敍述停頓下來。我很少插嘴，很少問什麼，我只讓他說，當他說不下去的時候，我就靠在椅子裏，靜靜的等他挨過那陣痛楚。

故事的結局，是我早就知道的，再聽他說一次，讓我更增添了無限惨惻。我嘆息着說：

『肝癌，我眞不相信一個年輕人會害上肝癌！』

『我一直以爲是肝炎，小方也以爲是肝炎。』他說。閃動着濕潤的睫毛。『其實，連小三小四都不知道她害了絕症，只有她父親知道，大家都瞞着，我去看她的時候，我做夢也想不到她會死！做夢也想不到！』他强調的重複着，又燃起一支烟。『可是，事後回想，我自責過千千萬萬次，鴕鴕一直多病，她的胃——我帶她去照過X光，比正常人的胃小了一半，而且下垂，所以她必須少吃多餐。她身體裏一點抵抗力都沒有，流行感冒一來，她總是第一個傳染上……在台北的時候，我常爲了拖她去看醫生，又哄又騙又說好話，求着她去。從沒見過比她更不會保護自己的人！如果她早些注意自己的身體，怎樣也不會送命，她實在是被躭誤了，被疏忽了。如果我在台北，如果我守着她，如果我不爲了證實自己而去南部……』他咬緊牙關，從齒縫中迸出一句話來：『她一定不會死！她一定不會死！』

『別這樣想，』我試圖安慰他，室內，悲哀的氣氛已經積壓得太重了。『或者，她去得正是時候。二十四歲，最美麗、最青春、最可愛的年齡，去了。留下的，是最美麗、最青春、最可愛的回憶。』

『妳這樣說，因爲……』

『因爲我不是當事人！』我代他接了下去。正視着他。『你怎麼知道鴕鴕臨終的情況？』

『事後我去了袁家，再見到鴕鴕的父母……』他哽塞着：『我喊他們爸爸、媽媽。』

我點點頭，深刻瞭解到袁氏夫婦失去愛女的悲痛，以及那份愛屋及烏的感情，他們一定體會到韓青那淌着血的心靈，和他們那淌着血的心靈是一樣的。

『韓青，我們都不懂得死亡是什麼。』我說：『不過，我想，鴕鴕假若死而有靈，一定希望看到你振作起來，快樂起來，而不是看到你如此消沉。』

『妳懂得萬念俱灰的意思嗎？』他問。

『哦，我懂。』

他沉思了一下。忽然沒頭沒腦又問了我一句：

『妳知道 All Kinds of Everything 那支歌嗎？』

不等我回答，他開始用英文唱那支歌：

『萬事萬物，萬事萬物，
都讓我想起妳——不由自主。』

他停住了。又抬頭去看天花板，淚珠在眼中滾動。

『我不敢怨恨上帝，』他說：『我不敢怨恨命運！我只是不懂，這些事爲什麼發生在我們身上。當年，我和鴕鴕逛來來百貨公司，她在許願池許了三個願。爲了我們三對。結果，徐業平和方克梅散了！小偉淹死了，丁香進了療養院。最後剩我們這一對，現在，連鴕鴕都去了。三對！沒有一對團圓！爲什麼是這樣？爲什麼是這樣？人，都會死的，每個人都會死！我沒爲對面的老婆婆哭，我沒爲太師母哭……可是，我爲小偉哭，我爲鴕鴕哭！我爲我們這一代的懵懂無知而哭！』

他越說越激動，他不介意在我面前落淚了。我也不介意在他面前含淚了。

『韓青，』我停了很久才說：『對生命而言，我們每個人都是懵懂無知的。』

『妳瞭解生命嗎？』他問。

我沉思良久，搖了搖頭。

『我從不敢說我瞭解任何事，』我從心底深處說出來，坦白、誠懇的看着韓青。『更不要談「生命」這麼大的題目。我只覺得，生命本身可能是個悲劇，在自己沒有要求生命的時候就糊糊塗塗的來了，在不願意走的時候又糊糊塗塗的走了。不過，』我加重了語氣：『人在活着的時候，總該好好活着，不爲自己，而爲那些愛你的人！因爲，死亡留下來的悲哀不屬於自己，而屬於那此還活著還深愛著自己的人！例如你和鮀鮀！鮀鮀已無知覺，你却如此痛苦着！』

他吸着烟，沉思着。他的思想常在轉移，從這個時空，轉入另一個時空，從這個話題，轉向另一個話題，忽然間，他又問我：

『妳會寫這個故事嗎？』

我想了想。

『不知道。』我看着手邊的稿紙。『這故事給我的感覺很淒涼，很久以來，我就在避免寫悲劇！那——對我本身而言，是件很殘忍的事，因爲我會陷進去。尤其，你們這故事……其實，你們的故事很單純，並不曲折，寫出來能不能寫得好，我沒把握。而且……』我沉思着，忽然反問他一句：『你看過我的小說嗎？』

『看過，就因爲看過，才會來找妳。總覺得，只有妳才能那麼深刻的體會愛情。』

我勉强的笑了笑。

『總算，也有人來幫我證實，什麼是愛情。你知道，在我的作品中，這是經常被攻擊的一點，很多人說，我筆下的愛情全是杜撰的。還有很多人說，我把愛情寫得太美、太强烈，所以不寫實。這些年來，我已經很疲倦去和別人爭辯有關愛情的存在與否。而你，又給了我這麼一個强列深切的愛情故事。』

『是。』他看着我，眼光熱切。『我不止親自來向妳述說，而且，我連我的日記——一個最眞實的我，好的，壞的，各方面，都呈現在妳面前。還有那些信，我能保存我寫給鮀鮀的信，是因爲方克梅的關係。鮀鮀不敢把信拿回家，都存在小方那兒。鮀鮀死後，小方把它們都交給了我。所以，妳有我們雙方面的資料。』

我仍然猶豫着。

『妳還有什麼顧忌嗎？』他問。

『不是你的問題，是我的問題。』我說，試着要讓他瞭解我的困難和心態。『這些年來，我的故事常結束在有情人終成眷屬那個階段。事實上，人類的故事，並不是「終成眷屬」就結束了。可能，在「終成眷屬」之後才開始。男女間從相遇，到相愛，到結婚，可能只有短短數年。而婚後的男女，要共同走一條漫漫長路，長達數十年。這數十年間，多少的風浪會產生，多少的故事會產生。有些人在風風浪浪中白頭偕老，也有些人在風風浪浪中勞燕分飛。但是，故事寫到終成眷屬就結束，是結束在一個最美好的階段。』我凝視他。『你懂嗎？』

他搖搖頭。

『不太懂。』

『你和鴕鴕的故事……』我繼續說：『很讓我感動，在目前這個時代，還有一對年輕人，愛得如此轟轟烈烈，我眞的很感動。只是，我很怕寫悲劇，我很怕寫死亡，因爲所有悲劇中，只有死亡是不能彌補的！你們這故事，讓我最難過的，是——』我很强調的說：『它結束在一個不該結束的地方！』

他抬眼看我，眼中忽然充滿了光彩，他用很有力的語氣，很熱烈的說：

『它雖然結束在不該結束的地方，但它開始在開始的地方！認識鴕鴕，愛上鴕鴕，雖然帶給我最深刻的痛苦，可是，我終身不悔！』

我愕然的看他，被他那强烈的熱情完全感動了。

『好！我會試試看！』我終於說：『不管怎樣，這故事很感動我，太感動我！我想，我會認眞考慮去寫它。可是……』我沉吟了一下。『爲什麼要寫下來？爲什麼你自己不寫？』

『妳認爲我在這種心情下，能寫出一個字來嗎？』他反問我，注視着我。『妳記得鴕鴕的木棉花嗎？』

『是的。』

『她一直想寫一本書，寫生命，寫木棉花。現在，她什麼都不能寫了，而木棉花年年依舊。我只想請妳，爲我，爲鮀鮀，寫一點什麼，像木棉花。』

『木棉花。』我沉吟着。『我窗外就有三棵木棉樹。很高很大的。』

『我看到了。』

『然而，你們的木棉花代表什麼？』

『鮀鮀說它有生命力。我覺得，那麼艷麗的花，開在那麼光禿的樹幹上，有一種淒涼的美，悲壯的美。』

是嗎？我沉思着，走到窗前，我拉開窗帘，夜色裏，三棵木棉樹聳立着，這正是綠葉婆娑的季節，滿樹茂密的葉子，搖曳着。在街燈的照射下，每枝每葉，都似乎無比青翠，無比旺盛。

『木棉花是很奇怪的，它先開花，等花朵都凋謝了，新葉就冒出來了。』我看着那三棵樹，思索着。『你的鮀鮀，或者也是朵木棉花，凋謝之後，並不代表生命的結束。因爲木棉樹的葉子，全要等花謝了之後再長出來，一樹的青翠，都在花謝了之後才來的！』

他看着我，懷疑的。

『是嗎？鮀鮀只是個沒沒無聞的女孩，即使她那麼聰明，那麼有才華，她沒有留下任何東西！我找不出屬於她的葉子！她就是這樣，凋謝了就沒有了。』

『是嗎？』我看他，反問着。『看樣子，你把這題目交給我了？好吧，讓我們來試試看，看能不能爲鴕鴕留下一些東西，那怕是幾片葉子！』

他看着我，非常眞摯，非常誠懇，而且，他平靜了下來。

『謝謝妳！』他說。

他告辭的時候，天色已有些濛濛亮了，我送他到門口，看着他孤獨的影子，忍不住問了句：

『以後預備做些什麼？』

『以後？』他歪著頭想了想，忽然微笑了起來，這是他整晚第一次笑。『等我有能力的時候，總有那麼一天，我會去巴黎，去香榭大道，去羅浮宮，去拉丁區……然後，我會說：鴕鴕，我終於帶妳來了！』

他走了。走得居然很瀟灑。

我在花園裏還站了一會兒，發現有幾朵沙漠玫瑰枯萎了，我機械化的走過去，摘掉那謝掉的花朵，心中朦朧湧上的，是李後主最著名的詞句：

『林花謝了春紅，太匆匆，
無奈朝來寒雨，晚來風，
胭脂淚，相留醉，幾時重？
自是人生長恨水長東。』

我的眼眶又濕了。人生就是這樣的。怎怪我一直重複着類似的故事？前人的哀痛與無奈，在現代的今天，豈不是同樣重複的存在着？豈不是？

我走回屋裏，讓一屋子的溫暖來包圍我，人，該為那些愛自己的人好好活著，一定，一定，一定。

——全書完——

一九八二年九月七日深夜初稿完稿於臺北可園
一九八二年九月十日深夜修正於臺北可園
一九八二年九月十五日午後再度修正於臺北可園

後記

韓青在七月三十一日來訪以後，我就知道，我一定會寫這個故事了。

或者，我也該讓這故事在我記憶中藏上三年五載，再來提筆。但，我竟連一日的躭擱都沒有，就在八月一日晚間，立刻提筆寫起『匆匆，太匆匆』來。對我自己而言，這幾乎是一項『奇蹟』。我一向不肯很快的寫『聽來的故事』，我需要一段時間來消化它，來吸收它，來回味它，直到我確認它能感動我，說服我，也確認它本身有力量能支持我從頭一個字，寫到最後一個字，我才會開始去寫它。

不知道是什麼力量，是韓青的懇切，是鮀鮀在冥冥中協助，我居然這麼快，這麼毫不猶豫的提筆，而且，立刻，就把整個自我都投進去了。八月，天氣正熱，埋首書桌一小時又一小時，並不是很『享福』的事。可是，就和往常一樣，我感動在我筆下的人物裏，我感動在鮀鮀和韓青的熱情裏，我感動在他們相遇、相知、相愛的各種小節中，於是，我又忘記了自我。

我在本書的『楔子』和『尾聲』中，都已詳細交代過本書的故事提供者，和資料來源。在這兒，我就不再贅述什麼。我想，讀者也不會再追問這故事的眞實性。不過，我早就說過一句話，不論多麼眞實的故事，經過我重新整理，編輯，去蕪存菁以後，故事的寫實性或多或少要打相當大的折扣。畢竟，我並不在寫『傳記』，我只寫一個『故事』，故事中令我感動的地方，我會强調的去描述，故事中有我自己不能接受的地方，我就會把它删除掉。因而，不論多麼眞實的小說，經過作者再寫出來，總會與事實仍有段距離。不過，本書中所有引用的書信、日記、小詩、小箋……都出於鮀鮀和韓青的手筆，故事的進展，他完全依照他們的資料記載去進行的。

從來沒有一個故事，像『匆匆，太匆匆』帶給我這麼大的『震撼』力。這種『震撼』，並不單純來自韓青和鮀鮀的戀愛，而更深刻的來自『生命』本身。我從沒有一本書這麼多次面對生命的問題。不該來的『生命』往往來了，不該走的生命又往往走了。我很渺小，我很無知，我也很困惑。這本書裏，從韓青鄰居老婆婆的死，太師母的死，小偉的死，到鮀鮀的死……我眞寫了不少死亡。這就是眞實故事的缺點，那麼多不可解的『偶然』都湊在同一本書裏，而這些都是眞的！對這些『死亡』，我困惑極了。我惋惜小偉，我惋惜鴕鴕，無法形容我惋惜得多麼深刻。除了對『死亡』的困惑，我也不諱言對『生命』的困惑，例如小梅梅的存在與否，和這一代年輕人（當然，只是我書中的一小部份，絕不代表全體）的迷惘。哦，其實，難怪年輕人是迷惘的，這世界上很多人都是迷惘的。

前不久，曾在電視上看到一個報導，據統計，台灣的年輕人，死亡率竟高過老年人好多倍！那統計數字使我那麼吃驚，那麼不敢相信！據云，年輕人的『意外死亡』太多了，例如車禍、登山、游水、打架……我眞不懂，這一代的年輕人爲什麼如此不珍惜自己呢？如此不愛護自己呢？就算不爲自己而珍惜生命，也該體會『哀哀父母，生我劬勞』呀！也該爲那些愛自己的人着想呀！

『匆匆，太匆匆』因爲機緣的湊巧，中國時報發行美國版，向我邀稿甚急．所以，在全稿尙未完稿前，就在八月二十七日開始連載，九月號皇冠也同時推出。在這兒，我必須提一下，自從『匆匆，太匆匆』開始連載，有許多鴕鴕生前的至親好友，都紛紛和我聯繫，並主動提出更多有關鴕鴕的資料。我在這兒，一併向鴕鴕的親朋好友致敬致謝。因爲本書的原始資料，來自韓靑，更因爲新資料提供出來時，本書已經完成了百分之九十，所以，我沒有再採用新資料，以免這本書中旁枝太多，而流於瑣碎。不過，對那些提供資料的人，我仍深深感激。

我的寫作，一向是很累的。許多人看到我每年總有兩本新著交出來，就認爲我一定寫得很『容易』。事實上，我的寫作總是艱辛而又痛苦，這份『掙扎』，也只有我身邊的人才能體會。『匆匆，太匆匆』也一樣。面對滿屋子的書信、資料、日記……我一面寫，還要一面查資料。有些地方，實在不瞭解，就只好撥個長途電話去問韓青。韓青的合作非常徹底，幾乎知無不言，言無不盡。只有當我的問題觸及他心中隱痛時（例如鮀鮀幾度欲振翅飛去），他才會略有遲疑。不過，他依然盡力做到了坦白。當他知道我眞的在寫這故事了，他又驚又喜又高興，他說：

『我好像了了一件心事。今天我去上班時，居然注意到田裏的秧苗，都是一片綠油油的，充滿了清新和生機。好久以來，我都沒有注意過我身邊的事物了。』

我聽了，也很安慰。只是，我就心他讀到這本書時，會不會再勾起他心頭的創傷？我也很擔心，我筆下的韓青和鮀鮀，會不會寫得很走樣？我最擔心的，是鮀鮀的家人親友（或我不知道而未提及的人），會不會見書而傷情！以及書中其他有關的人物，會不會追懷往事而又增惆悵！果眞如此，我很不安，我很抱歉，我也很難過。無論如何，我寫此書時，是懷着一種近乎虔誠的情緒去寫的。我愛鮀鮀，我愛書中每個人！我多希望他們都活得好好的，活着去愛，活着去被愛，活着去抓牢『幸福』！

寫完這個故事，我自己感觸很深。生命之短暫，歲月之匆匆，人生，就有那麼多『匆匆，太匆匆』！那麼多的無可奈何！青春，愛情，生命……每個人都能擁有的東西，却不見得每個人都能珍惜它們。於是，我也感慨，我也懷疑，我也想問一句：『永恆』在那裏？什麼東西名叫『永恆』？前兩天在報上讀到倪匡先生的一篇短文，結尾幾句話是：

『永恆的是日月星，人太脆弱了，不要企求永恆。』

我有同感，眞有同感！人，太脆弱了！

『匆匆，太匆匆』總算完稿了。寫完，心裏還是沉甸甸的。不知道鮀鮀泉下有知，是否能瞭解我寫作時的虔誠？不知我筆下的木棉花，是否爲鮀鮀心中的木棉花？這些日子來，看鮀鮀的信，看她那行雲流水般的文字，看她那萬種深情，千種恩愛的句子，看她那對自我心理變遷的披露，看她對『成長』和『人生』『社會』的種種見解……我不止一百次扼腕嘆息，這樣一個充滿智慧，充滿才華，充滿熱情的女孩，竟在花樣年華中遽然凋謝，難道是天忌其才嗎？

眞的，人，應該爲愛自己的人珍惜生命，應該爲愛自己的人珍惜感情。

寫完本書，我却眞想對我不瞭解的人生、生命，和感情說一句：

『匆匆，太匆匆，
匆匆，太匆匆！』

瓊瑤

一九八二年九月十六日午後寫於臺北可園

皇冠
CROWN
〈註册商標第173155號〉

皇冠叢書第八八〇種
《瓊瑤全集》

匆匆，太匆匆

作　者—瓊瑤
發 行 人—平鑫濤
出版發行—皇冠文學出版有限公司
台北市敦化北路一二〇巷五〇號
電話◉七一六八八八八
郵撥帳號◉一五二六一五一—六號
登 記 證—局版臺業字第五〇一三號
責任編輯—方麗婉
美術編輯—吳慧雯・林偉達
校　對—曾美珠・愛芩・牟善英
印 刷 者—秋雨印刷股份有限公司
台北市八德路四段三一九號四樓
電話◉七六三六〇〇〇
原始出版日—一九八二年(民71)十一月
典藏版初版—一九九〇年(民79)六月
典藏版二刷—一九九三年(民82)六月
◉法律顧問—王惠光律師

國際書碼◉ISBN 957-33-0295-0
Printed in Taiwan
本書定價◉新台幣150元